Adriana Chiovatto

Olhe pra Mim

Vermelho Marinho

Olhe pra mim
Copyright © 2015 Adriana Chiovatto

Autora
Adriana Chiovatto

Capa e Ilustrações
Dandi

Editor-Chefe
Tomaz Adour

Ilustração da p. 7
Luiz Batanero; ícones de Freepik ©

Edição e Preparação de Texto
Bruno Anselmi Matangrano

Outras Ilustrações
Granny Enchanted/Keren Dukes

Revisão
Carol Chiovatto / Tomaz Adour

Diagramação
Marcelo Amado

C532o Chiovatto, Adriana
    Olhe para mim / Adriana Chiovatto. – Rio de Janeiro: Vermelho Marinho, 2015.
    152 p.

    ISBN: 978-85-8265-059-2

    1. Literatura brasileira. 2. Literatura infanto-juvenil. I. Título.

CDD-869

Índice para catálogo sistemático:
1. Romance infanto-juvenil: Literatura Brasileira

EDITORA VERMELHO MARINHO
Rua Visconde de Silva, 60/casa 102,
Botafogo, Rio de Janeiro/RJ, 22.271-092.

Dedico este livro a minha irmã Carol Chiovatto, que sempre me influenciou a seguir meus sonhos.

Capítulo 1: Um sonho que se repete { *9* }

Capítulo 2: O maluco do origami { *15* }

Capítulo 3: A ex-amiga convencida { *21* }

Capítulo 4: O trabalho de artes { *29* }

Capítulo 5: Ajuda inesperada { *37* }

Capítulo 6: Frustração { *47* }

Capítulo 7: Sorveteria { *55* }

Capítulo 8: Dia de chuva { *63* }

Capítulo 9: O desenho { *69* }

Capítulo 10: Beijo no menino feio { *77* }

Capítulo 11: A foto { *85* }

Capítulo 12: A culpa { *93* }

Capítulo 13: Revelações { *99* }

Capítulo 14: Quem está mentindo? { *109* }

Capítulo 15: Balde de água fria { *119* }

Capítulo 16: Surtando { *127* }

Capítulo 17: Fofoca no banheiro { *133* }

Capítulo 18: Eu gosto de você { *143* }

Capítulo 19: As folhas na cabeceira { *149* }

Agradecimentos { *155* }

Segunda	Terça	Quarta	Quinta	Sexta
Português	História *Mi nem pisca*	Biologia	Química	Português
Português *Dani adora*	Física	Ed. Física	Física	Química
Geografia	Geografia	Ed. Física	História	Matemática *Minha aula preferida*
Intervalo	Intervalo *Mi vai ganhar um origami*	Intervalo	Intervalo	Intervalo
Biologia	Artes	Inglês	Espanhol *ZZZ*	Física
Matemática	Artes	Matemática	Biologia	Física *Dani no mundo da Lua*
Química	Português	Química *Pesadelo da Mi*	Matemática	Biologia

Um sonho que se repete

Ele tocou sua mão. Ela sentiu a respiração parar. Isso não podia estar acontecendo. Ele a olhava e o sol iluminava seu rosto. Encontravam-se sentados no banco do pátio da escola; estava muito calor, mas não era isso que a fazia suar. Era ele, que não parou de encarar seus olhos, mesmo quando colocou seu cabelo para trás da orelha e deixou a mão em seu rosto. Ela respirou fundo e fechou os olhos. Aquilo não podia estar acontecendo. Aos poucos, ele foi se aproximando, fechando os olhos também. Estava prestes a acontecer! Os rostos estavam muito próximos agora, tanto que podia sentir a respiração dele. Finalmente, saberia como é o gosto de um beijo. Seu coração disparou. Iria beijá-lo...

— Tati! — Ela ouviu uma voz a chamando e se virou para ver quem era. Viu sua mãe parada com os braços cruzados.

Não podia acreditar, o que ela fazia ali?

— Acorda, filha!

Tati não entendeu, já que não estava dormindo. Virou novamente para *ele* e não o viu mais; havia desaparecido. Ouviu seu nome de novo:

— Vamos, Tati, já está atrasada! — A mãe gritou dessa vez.

Acordou assustada, deparando-se com a mãe parada ao pé da cama, de braços cruzados. Viu-se em seu quarto, deitada na cama, e não no pátio da escola.

— Não, não, não. Isso não pode estar acontecendo! — disse Tati, encolhendo-se na cama.

— Calma, filha. Você teve um pesadelo?

— Ah, sim. Um pesadelo... *horrível*. — Tati sentia vontade de gritar. Tinha sido apenas um sonho.

Sempre sonhava estar prestes a beijá-lo, mas, infelizmente, o sonho nunca chegava ao fim. Nunca conseguia sentir o gosto do beijo e descobrir como era; o sonho parecia muito com a vida real. Tati já tinha quinze anos, estava no primeiro colegial e nunca havia beijado. Provavelmente, era a única BV da classe e isso nunca havia importado antes — ela nem pensava nisso, em como seria e quando aconteceria —, até que *ele* entrou na escola.

— Tati, você está atrasada. Você dormiu mal? Está cheia de olheiras!

— Ai, nossa! Obrigada, mãe! Ainda bem que hoje não é terça!

— Claro que é terça, filha.

— O quê? — Tati pulou da cama e foi se olhar no espelho. Realmente, estava com muita cara de sono. — Ai, que droga!

— Deixei o café na mesa. Não demore pra descer. Seu pai já está quase pronto.

A mãe saiu do quarto.

Tati começou a passar uma base nas olheiras e a arrumar o cabelo. Bem hoje tinha acordado com a pior cara possível. A Lei de Murphy com certeza a perseguia. Queria ir logo para a escola e encontrar sua melhor amiga, Mi; ela sempre a animava e elevava sua autoestima, falando que ficava feliz quando as pessoas diziam que as achavam parecidas, já que considerava Tati a menina mais bonita da escola.

Tati era estudiosa, meiga e paciente; Mi era engraçada, sincera e muito extrovertida. Não que Tati fosse tímida, mas, perto de Mi, parecia; a amiga era muito espontânea e tagarela. Suas personalidades eram muito diferentes, mas fisicamente, tinham muito em comum. As duas tinham a mesma altura, cabelos castanhos lisos, a pele do mesmo tom, vozes finas e meigas. Por isso, muitas pessoas falavam que as duas se pareciam, já tinham até achado que eram irmãs. A maior diferença entre elas era que Mi tinha olhos castanhos e Tati olhos bem verdes. Uma chamava a outra de "Gêmea" o tempo todo por causa disso, mas tentavam evitar o apelido carinhoso quando estavam com Dani, a amiga que haviam conhecido naquele ano, pois, mesmo com pouco tempo de amizade, ela já tinha conquistado o coração das duas. As três se consideravam melhores amigas, então Tati e Mi evitavam se chamar de Gêmeas perto de Dani, por terem receio de que ela ficasse com um pouco de ciúme, pois, apesar de não ser muito ciumenta, ela já havia demonstrado que se sentia um pouco excluída quando as duas se chamavam assim. As três amigas eram inseparáveis na escola.

— Oi, Tati! — cumprimentou Dani.

Ela estava sentada nas carteiras triplas da sala de aula; sempre ficava à esquerda, Mi no meio e Dani à direita.

— Ué, já chegou? Que cedo!

Dani sempre chegava atrasada na escola e em todos os seus compromissos. Por isso, Tati e Mi sempre marcavam com ela quarenta minutos antes de chegarem ao lugar do passeio e, mesmo assim, tinham de ficar esperando um pouco, às vezes. Mi era diferente, super pontual, assim como Tati, que sempre desculpava Dani pelos atrasos, compreendendo o jeito da amiga. Já Mi ficava muito brava e fazia questão de chamar Tati de Gêmea o tempo todo para irritar Dani, além de dar uma bronca nela pelo atraso, mas, depois de um tempo, esquecia a raiva, e as três se divertiam e aproveitavam muito o passeio. Das três amigas, Dani era a que mais gargalhava e que não guardava nenhum tipo de rancor das coisas, bem como a mais experiente quando se tratava de garotos. Tinha cabelos compridos e com luzes loiras, altura mediana e um corpo mais desenvolvido para a idade.

— Nem consegui dormir, a Li ficou chorando a noite toda!

Li era a irmãzinha de Dani, um bebê lindo, de olhos bem azuis. Dani ainda estava se acostumando a ter um bebê em casa e a trocar fraldas, apesar de sempre fugir dessa tarefa.

— A sua irmãzinha é linda!

— É, principalmente quando tá dormindo. — Dani deu risada. — Mas tudo bem, eu durmo na aula de história. Cadê a Mi?

— Não vi ainda, mas já deve ter chegado.

— Verdade, ela nunca chega tarde, principalmente quando tem aula de artes!

O coração de Tati acelerou. Era terça-feira, dia em que as salas A e B do primeiro colegial tinham aula de Artes juntas. Ela se lembrou de seu sonho. Corou. Sempre que via o "menino dos seus sonhos", recordava os momentos que passavam juntos. Eram lindos e românticos, e também pura imaginação.

— Cheguei! — Mi colocou a mochila na carteira e se sentou. — Fiquei conversando com a minha irmã na sala dela.

— Imaginei — disse Tati.

— Quando sou eu que chego atrasada, ninguém imagina o motivo, né? Agora quando é uma das duas, sempre é porque algo aconteceu — resmungou Dani em tom de brincadeira.

— Ah, Dani, é que você sempre chega atrasada, então a gente nem estranha mais. Aliás, a gente estranha quando você chega na hora — Mi respondeu bem-humorada. — Falando nisso, o que aconteceu pra você chegar cedo hoje?

— Olhe, Milena, não vou nem responder! — Dani riu com as amigas.

— Tudo bem, Dani, a gente ama você, mesmo não tendo relógio em casa! — Tati se sentia bem mais animada agora que estava com as duas.

— Vocês que são pontuais demais! — bocejou Dani, deitando a cabeça na carteira e fechando os olhos.

— Nossa, mas já vai dormir? — disse Tati.

— Ah, tudo bem, a gente acorda ela daqui a pouco — disse Mi. — Ansiosa pra aula de Artes?

— Hã? Eu? Por quê? — respondeu Tati depressa.

— Você tá bem?

— Não é nada, é que *eu* tô ansiosa.

— Hoje o professor vai sortear os grupos e os trabalhos do semestre. Espero que o meu seja teatro.

— Ah, é, eu também. — Tati ficou aliviada. — Não que eu queira cair no teatro, morro de vergonha, mas quero que você caia.

— Isso, torça por mim, Gêmea! Você tá tão bonita hoje!

Tati sorriu e se sentiu um pouco melhor. Mi era muito sincera e não mentia para as amigas, nem mesmo para agradá-las; se não a tivesse achado bonita, ficaria quieta e não comentaria nada sobre sua aparência. Tranquilizou-se um pouco, já que não devia estar tão feia quanto achava.

Mi abriu a mochila para pegar as apostilas. Seu professor preferido acabara de chegar à sala. Tati sabia muito bem por que aquele era o professor favorito da amiga; não por causa da matéria ou porque fosse legal, e sim porque era o mais bonito. Tati olhou para Dani, já dormindo na carteira, e pensou que, se fosse ela cochilando na aula, com certeza estaria sonhando com *ele* outra vez e que, provavelmente, acordaria antes de beijá-lo. Como sempre.

Capítulo 2

O maluco do origami

Estavam no intervalo, logo depois teriam duas aulas de artes com o primeiro colegial B. As aulas de Artes e de Educação Física eram juntas com a outra sala e isso nunca fizera diferença para Tati, até o aluno novo entrar na escola e ela se apaixonar. As terças e quartas haviam se tornado especiais, e ela sempre ficava muito ansiosa para essas aulas – e também com muito receio, pois todos aqueles sentimentos eram algo novo.

– O que vamos fazer no fim de semana? – perguntou Dani.

– Sorveteria! – disse Mi, super empolgada. – Tá muito calor e eu necessito de um sorvete!

– Nossa, eu também! Que tal sorveteria e cinema depois? – Tati estava empolgada também.

– Sorveteria, cinema e várias fotos pra postar! – disse Dani. – Podia ser amanhã, já tô cansada dessa semana!

– Mas ainda é terça! – retrucou Tati. – Nem deu tempo de ficar cansada ainda!

As três riram.

Mi sentiu uma cutucada nos ombros, virou para trás e Pedro entregou-lhe um origami de pássaro sem falar nada, deu as costas e foi embora.

— Eu não acredito nisso! De novo? — Mi ficou perplexa.

— Será que ele não cansa de fazer origamis? — perguntou Tati.

— Ih, eu acho que ele tá apaixonado, hein?! — Dani riu.

— E eu acho que ele é louco, isso sim! Sério, eu já tenho milhares dessas dobraduras na minha casa! Que tipo de pessoa faz isso? Cutuca, dá o origami e vai embora sem dizer nada? Só um maluco! — Mi entregou o passarinho para Dani. — Toma, Dani, pra você!

— Obrigada! — Dani começou a brincar com ele, como se estivesse voando.

— Você já contou pra sua irmã que o Pedro faz isso quase todos os dias? — perguntou Tati.

— Já! Sabe o que ela fez? Riu de mim! — resmungou Mi.

Pedro era um aluno do terceiro colegial, que sorria de um jeito estranho quando olhava para Mi. Sempre a presenteava com um origami feito por ele mesmo, geralmente de animais e flores. Tati já tinha certeza de que ele gostava de Mi antes de ele começar a presenteá-la quase todos os dias; a amiga negava, dizendo que o menino sempre a cumprimentava porque estudava na mesma sala de sua irmã mais velha, Anna. Mas um dia, Mi elogiou o origami e, desde então, Pedro cutucava seu ombro, entregava um bichinho de papel e saía sem dizer uma palavra sequer. Mi se arrependia amargamente do dia em que o elogiara.

— Eu acho meio romântico — disse Dani.

— Seria romântico se eu gostasse dele! — ponderou Mi. — E se ele falasse comigo em vez de me cutucar e sair andando sem nem olhar pra trás depois de me entregar. Ah, isso me deixa tão...

— Mal humorada? — sugeriu Dani.

— Não!

— Chateada? — tentou Tati.

— Não.

— Doida? — arriscou Dani.

— NÃO! Quer dizer... sim, doida! Eu fico doidinha, nem sei o que fazer sobre isso!

— Eu entendo, amiga... – disse Tati.

—Vou tomar água, vai que passa. —Mi riu e saiu em direção ao bebedouro.

— Pelo menos os origamis são bonitos — disse Dani analisando o presente, e começou a brincar de novo com o pássaro, até que viu um garoto do 1°B. – Nossa, o Rafa gosta mesmo de vermelho, hein!? Ele tem várias camisetas dessa cor.

Tati engoliu seco. Não o tinha visto ainda. Estava lindo com a camiseta vermelha e a bermuda jeans. Desde que o conhecera, sentia seu coração bater mais forte, experimentava um sentimento antes desconhecido, e Rafa sempre aparecia em seus pensamentos e sonhos. Ele era engraçado, bonito, esperto, gentil... mas nunca olhava pra ela. Tati não ficava encarando o rapaz o tempo todo; sempre esperava o momento em que ele estivesse o mais concentrado possível para ele não perceber, porém nunca o tinha visto olhando pra ela e isso a incomodava.

Não havia contado para ninguém sobre seus sentimentos, nem mesmo para Mi e Dani. Não que não confiasse nas amigas, pelo contrário, confiava muito, mas estar apaixonada por alguém era algo completamente novo para ela e uma coisa que não conseguia entender direito ainda. Apesar de saber que as amigas teriam mil conselhos para dar, preferia manter seus sentimentos em segredo, por enquanto.

— Acho que eu ia até gostar de ganhar de alguém uma coisa assim — disse Dani, olhando o origami.

Tati já se preparava para dizer que não, que achava uma loucura Pedro entregar origamis quase todos os dias para Mi e nunca falar uma palavra com ela; conseguia entender muito bem a amiga. Em outra circunstância, seria algo legal por ser um presente feito manualmente — origamis eram muito trabalhosos e ele devia passar um bom tempo fazendo-os para ela —, porém, o jeito que Pedro entregava era muito estranho e isso a deixava um pouco assustada. Não contava para Mi que achava que ele a perseguia, pois não queria deixá-la mais encanada ainda com a história. Olhou para o origami — era mesmo muito bonito —, ainda assim, achava Pedro maluco. Suspirou e imaginou Rafa entregando um origami para ela. Sentiu seu rosto corar, pois a ideia de receber algo assim do menino de que gostava fez seu coração acelerar e, de repente, não conseguiu mais achar a situação tão esquisita assim.

— Você gostaria de receber um desses todos os dias, Tati? — perguntou Dani.

— Não sei, acho que depende da pessoa. Talvez sim. — Tati olhou de relance para Rafa. — Mas só se a pessoa me falasse alguma coisa, porque esse negócio de entregar e sair andando não é comigo!

As duas riram.

— É... Eu também não ia gostar de ganhar um do maluco do origami.

— Quem é o maluco do origami? — Bruna se aproximou das duas.

— Ninguém —Tati respondeu, rápido.

— Ah, desculpa, não quis me intrometer. É que eu tava perto e ouvi vocês falando sobre isso — explicou Bruna. — Mas já que é segredo, tudo bem.

Dani e Tati sorriram sem graça.

— E aí, foram bem nas provas? — Bruna tentou puxar assunto.

— Espero que sim — respondeu Tati. — As notas vão sair amanhã.

— Eu sei! Acho que fui bem. E você, Dani?

— Ah, eu acho que...

— Perdeu alguma coisa aqui? — Mi chegou e se pôs no meio da roda.

Bruna revirou os olhos e saiu.

— Ela só vem aqui para falar mal da gente depois — disse Dani.

— O que ela queria?

— Ela ouviu a gente falando do origami e veio aqui perguntar — respondeu Tati.

— Nossa, como ela é intrometida!

— Depois perguntou como fomos nas provas — contou Dani.

— Ah, tá, como se aquela menina tivesse ido bem em alguma prova na vida.

Ao falar isso, Mi virou a cabeça para o lado, emburrada, e viu Pedro a olhando fixamente, e sentiu um calafrio. Pedro sorriu para ela, um sorriso torto meio bobo. Mi arregalou os olhos e puxou as amigas:

— Vem, vamos sair daqui! Antes que ele resolva me dar outro origami.

Capítulo 3

A ex-amiga convencida

— A Tasse tá olhando pra gente — disse Mi. Estavam perto da cantina, bem longe de Pedro.

— Deve estar querendo saber até agora do que a gente tava falando — disse Dani. — Eu não me lembro da Bruna ser tão intrometida assim antes.

— Mas ela era! Vocês que não percebiam — falou Mi.

— Ué, eu percebia que ela se achava um pouco — respondeu Tati.

— Nossa, ela se acha muito! — Dani concordou.

— Ah, a Tasse é horrorosa, nem sei como ela se acha tão bonita assim. Sei lá, parece que ela foi virada do avesso quando nasceu. — A sinceridade de Mi sempre fazia Tati e Dani rirem.

Bruna havia sido amiga de Mi, Tati e Dani no começo do ano; Tati gostava muito dela a princípio, porém, aos poucos foi conhecendo a suposta amiga e viu que ela não era tão legal assim. A amizade chegou ao fim quando Bruna tentou dar uma lição de moral em Dani na frente de todos na sala de aula e isso a deixou muito desconcertada. Foi uma situação bem desagradável e, depois disso, Bruna e elas conversavam raramente. Tati não sentia falta nenhuma de sua amizade, pois a garota sempre inventava histórias mirabolantes sobre como as coisas aconteciam com ela, coisas que estavam na cara que haviam sido inventadas. Além disso, era muito exibida e se achava a última Coca-Cola do deserto, segundo Mi; depois que deixaram de ser amigas, Dani e Mi apelidaram Bruna de "Tasse", pois "tá se achando" era a frase que mais falavam quando comentavam algo sobre ela.

Tati olhava para Bruna e não conseguia mais enxergar a amiga de antes. Ficaram muito próximas no começo do ano, tinha inclusive lhe contado que nunca havia beijado, mas atualmente, se falavam pouco e não eram nada além de colegas de classe.

No dia da briga que fez com que se separassem, Tati já andava tratando Bruna diferente, pois não acreditava mais em nenhuma história que contava, Mi se irritava cada vez mais com ela e Dani se incomodava com algumas coisas que ela falava.

Fazia dois dias que o resultado das primeiras provas mensais havia saído. Tati tirara excelentes notas, Mi regulares e Dani péssimas. Bruna oscilava entre regular e ruim.

— Aí o Renato simplesmente se ajoelhou na minha frente, me mostrou a aliança e me pediu em namoro na frente de todo mundo — contou Bruna super empolgada.

Tati sorria ao se lembrar daquele dia e da cara que Mi fez ao ouvir a história; fazia cinco meses que o "dia da briga" acontecera.

— Então, todo mundo da pizzaria ouviu ele falando? — perguntou Tati.

— Exatamente. Ele falou super alto! Aí eu aceitei, a gente se beijou e todo mundo aplaudiu.

— Você não ficou com vergonha, Bru? — perguntou Dani.

— Não, na hora parecia que ninguém mais existia… só eu e ele!

Mi revirou os olhos.

— E quando nós vamos conhecê-lo? — questionou Tati.

— Então, o ruim é que ele me contou ontem que vai passar três meses nos Estados Unidos com o pai.

— Nossa, que conveniente — disse Mi.

— Inconveniente você quis dizer, né, Mi? — corrigiu Bruna, sem perceber seu sarcasmo.

— Também — disse Mi, encarando Bruna; não falava mais do ocorrido e sim da colega.

— Mas vocês tão namorando ou não? — interrompeu Dani, querendo evitar uma briga.

— Estamos — respondeu Bruna. — Mas vou ter que terminar, porque ele viaja amanhã.

— Que falta de sorte — disse Tati, também duvidando que fosse verdade.

O sinal do intervalo bateu e elas voltaram para a sala. Bruna se sentava na outra fileira, com Bia e Aline, e conversava muito com elas, ao contrário de Mi, Dani e Tati.

— Será que ela acha que a gente acredita? — perguntou Dani.

— Nem ela acredita! — Tati respondeu rindo.

O professor de física entrou na sala e começou a aula.

— Bem que podia ser história. Eu ia adorar.

— A gente sabe, Mi — disse Dani.

— Mas é porque eu gosto da matéria, não por causa do professor Maurício.

— Ah, sim, claro.

As três começaram a corrigir as questões da aula anterior. Mi desenhou um coração na apostila de Dani.

~23

— Ah, até que enfim. Alguma coisa nessa aula que eu sei o que é.

— O quê? Você não tá entendendo os exercícios? Mas é tão fácil — zoou Mi.

— Eu vou fazer uma faculdade que não tem nenhuma conta.

— Ah, eu também! Adeus, fórmulas — Mi comentou, rindo.

— Domingo eu vou andar de bicicleta com a minha prima, quer ir? — perguntou Dani.

— Ah, não vai dar!

— Por quê, Mi?

— Vou descansar.

Dani riu.

— É, você precisa, está ficando velha.

— Você que tá!

— Eu não, você que tá cheia de cabelo branco! — apontou Dani.

— Não me mata do coração, menina! — disse Mi rindo e mexendo nos cabelos. — É mentira, né?

Dani deu de ombros e riu baixo, Mi lhe deu um tapinha no braço.

— É claro que quero ir, faz tempo que não ando de bicicleta.

As duas passaram o resto da aula conversando sobre como seria o domingo. Tati comentava uma coisa ou outra, mas Dani não parava um segundo de tagarelar.

A aula acabou e Bruna foi até a carteira delas.

— Nossa, Danielle, você não parou de falar um segundo na aula.

— É, a gente ficou fal...

— Quanto você tirou na sua prova de física? — Bruna falou muito alto. — Não foi dez, né? Foi dois! Você tirou DOIS na sua prova e mesmo assim não parava de falar um segundo na aula! Duvido que tenha anotado alguma coisa na apostila. Você vai repetir de ano desse jeito, porque, pelo que estou vendo, dois vai ser a sua nota MÁXIMA em física!

Dani ficou vermelha, já que todos na sala ouviam.

— Você acha que eu estou errada, Danielle? — gritou Bruna.

— Ah, eu... — Dani riu sem graça.

— VAI CUIDAR DA SUA VIDA, BRUNA! — Mi gritou, levantando-se da carteira. — Você não tem nada a ver com a nota dos outros e pelo que eu lembro, você tirou quatro e meio em física! Só quatro e meio! Isso porque você estudou. Significa que você é BURRA mesmo! — Mi estava exaltada. — Deixa a Danielle em paz!

Bruna arregalou os olhos, pois não esperava receber de Mi uma resposta aos berros.

— Eu não falei com você. — Bruna abaixou o volume.

— Eu não me importo — Milena retrucou alto.

Bruna deu as costas e foi se sentar. Todos na sala cochichavam sobre o ocorrido.

— Não liga, Dani — Tati consolou a amiga.

— É, não liga, ela é uma idiota. Nunca foi nossa amiga de verdade — disparou Mi.

— Eu sei... mas é verdade, eu fui mal em tudo! Eu sou uma burra!

— Não, nada disso, Dani — disse Tati. — Você foi mal porque não estudou. Eu vou estudar com você para as próximas provas e você vai recuperar todas as notas!

— É, Dani, a gente estuda com você. — disse Mi. — Não liga pra Bruna

— Obrigada, gente... Ela precisava gritar na frente de todo mundo? Que droga!

— Ih, nem esquenta, a Mi gritou mais — Tati comentou, rindo.

— É, ela que passou vergonha, pode acreditar — concordou Mi.

— Vocês são as melhores!

Depois desse dia, Milena e Bruna nunca mais se falaram e, apesar de Dani não guardar mágoas sobre o que aconteceu, não sentia mais vontade de ser amiga de Bruna por causa de todas as mentiras que ela contava. Tati ficou muito chateada com a situação, sem conseguir entender por que Bruna havia agido daquele jeito com Dani.

— Tati? Tá aqui? — Dani perguntou, com uma risada.

— Nossa, me lembrei agora do dia que a gente brigou com a Bruna!

— Foi um ótimo dia, depois disso nunca mais falei com ela — disse Mi.

— Sorte sua — disse Dani. — Ela ainda tenta falar comigo e com a Tati.

Tati concordou. Realmente Bruna falava com as duas às vezes, mas isso não a incomodava. Apesar de não sentir falta da ex-amiga, não a julgava insuportável, como Mi, nem pensava que Bruna conversava com elas para falar mal depois, como era a opinião de Dani. Achava que a ex-amiga era muito carente e sentia pena dela, pois sabia que devia agir daquele modo por causa dos pais, muito ocupados e severos. Havia chegado à conclusão de que a garota inventava coisas sobre sua vida e fazia questão de falar o quanto gostava de si mesma para chamar atenção — uma atenção que normalmente não recebia em casa. Bruna havia lhe contado como seus pais eram ausentes quando eram amigas e, por isso, não conseguia culpá-la por seu jeito egocêntrico. Na verdade, não podia deixar de achar isso triste.

Capítulo 4

O trabalho de artes

Depois que o sinal bateu, elas se dirigiram para a aula de Artes. Tati estava nervosa, pois Rafa e seus amigos costumavam se sentar perto delas, e os grupinhos sempre acabavam conversando durante a aula. Gostava de imaginar que sentavam ali porque Rafa queria ficar perto dela e conhecê-la melhor, conversando sobre qualquer coisa. Mas isso era só imaginação, porque ele sequer a olhava, e ela bem sabia que Leo, o melhor amigo de Rafa, queria conversar com Mi. Eles nunca haviam ficado, mas Leo tinha uma paixonite por Mi e sempre que dava, falava com ela. Ele colava em todas as provas de Mi, que sempre facilitava para ele ver suas respostas e depois corrigiam o gabarito juntos e torciam para irem bem. Apesar de não serem da mesma classe, sempre caíam na mesma sala nas provas, por causa das letras iniciais de seus nomes. E foi assim, nada romântico, que a paixonite de Leo por Mi começou.

Tati sempre perguntava para Mi se ela queria ficar com Leo e a resposta era não, mas sempre que falava com ele fazia charme, passando a mão no cabelo, mexendo os ombros junto com um olhar tímido e um meio sorriso. Tati via isso e tinha vontade de rir, porque a amiga sempre fazia isso com os garotos. Era sua arma secreta, e sempre funcionava. Talvez Tati tentasse fazer isso com Rafa um dia, se ele pelo menos a olhasse uma vez e, claro, se ela tivesse coragem.

Tati viu Bruna olhando pra eles, tendo certeza que a garota estava a fim de Leo, pois sempre a via olhando para os meninos descaradamente e puxando assunto com eles a cada oportunidade. Dani tinha certeza desde o começo do ano de que Bruna gostava do garoto, pois na época em que eram amigas, ela comentou que o achava muito bonito e que ficaria com ele. Tati, por outro lado, só havia percebido os olhares de Bruna poucos meses antes. Assim que notou, perguntou o que Mi achava, e a amiga disse que também suspeitava disso. Talvez fosse essa a razão de Mi lhe jogar charme. A amiga era um amor, mas quando queria provocar alguém, sabia como, e ela detestava Bruna.

— Aposto que a Tasse está torcendo pro Leo cair no grupo dela — disse Mi.

— E eu aposto que ele tá torcendo pra cair no seu! — Tati retrucou com uma risadinha.

— Claro que não. Já falei que ele não gosta de mim.

— Claro que gosta — Dani zoou. — Ninguém resiste aos seus encantos!

— Engraçadinha... Ele pode até gostar um pouco de mim, mas eu não gosto dele. A gente não tem nada em comum!

— Verdade, não mesmo — concordou Tati.

— Mas ele gosta mesmo assim! — completou Dani.

As três riram e logo pararam de conversar; o professor havia chegado na sala e começou a explicar como seria realizado o trabalho semestral: dividiria em grupo os alunos das duas salas para fazer os trabalhos, ou seja, os alunos do 1°A e 1°B poderiam realizar o trabalho juntos, mesmo não sendo da mesma classe, pois a aula de Artes misturava as duas turmas. Cada grupo teria doze integrantes e seria responsável por uma área artística diferente: desenho, música, teatro, escultura e dança, cada área com um tema a ser abordado. Teriam de entregar a parte teórica, e a parte prática seria exibida na exposição final do semestre. Para dar tempo de realizar o trabalho até a data marcada, os grupos deveriam se encontrar no período da tarde na escola, além de realizar as tarefas na aula também, sob a supervisão do professor.

— Agora que já expliquei o trabalho, vamos à parte que todos estavam esperando: O sorteio! — disse o professor empolgado, mostrando um pote com vários papéis dobrados. Vou sortear os integrantes do primeiro grupo: Escultura.

— Ai, credo! Eu não, eu não, eu não, eu não... — Mi torcia baixinho.

Tati disfarçou uma risada, estava torcendo tanto quanto a amiga para ela ser sorteada para o grupo de Teatro, sabia que Mi ficaria muito triste se caísse em qualquer outro.

— Ah, só pra vocês saberem, não vou trocar ninguém de grupo, sem exceções. Então vamos lá, o primeiro sorteado para o grupo de Escultura é... Caíque!

— Você quer cair em qual, Dani? - perguntou Tati.

— Música ou dança, são os mais legais! E você?

— Não sei... acho que música é o mais legal.

— Último integrante do grupo de escultura: Mi... — Mi arregalou os olhos com receio. — ...chele.

— Essa foi por pouco, hein, Mi? — Tati estava rindo.

— Já pensou se você caísse nesse, ia ter um treco!

— Agora vou sortear os grupos de dança, ouviu, DANIEL-LE? Você está falando demais, preste atenção! — O professor chamou a atenção dela e seguiu sorteando os nomes.

Tati olhou de relance para Rafa, ele desenhava em seu caderno, torceu para que ele fosse sorteado para o grupo de

Desenho; o garoto adorava desenhar e era realmente bom nisso, já ela, era péssima. Até um desenho de coração que tentava fazer ficava torto; suspirou ao constatar que os dois não tinham muitas coisas em comum.

Os integrantes do grupo de Dança também já haviam sido escolhidos, agora seria a vez de sortear quem faria parte de Música. Tati e Dani se olharam com cumplicidade, seria muito legal se fizessem o trabalho juntas.

— Andreia, Bruno, Cristina, Frederico, Danilo, Giovana, Luiz, Fernanda, Luana, Danielle...

Dani comemorou apertando a mão de Tati, estava radiante.

— Sérgio...

— Falta um agora, tem que ser você, Tati! — disse Dani.

Tati suspirou ansiosa e apertou a mão de Dani.

— Mariana.

— Ah, que droga! — Dani falou alto e Mariana olhou para ela espantada. — Ah, desculpa, é que eu queria que a Tati tivesse sido sorteada... bom, deixa pra lá.

— Danielle, é a segunda vez que vou chamar sua atenção, silêncio! Agora vamos sortear quem fará parte do grupo de Desenho.

— Tudo bem, Dani, eu tenho azar pra essas coisas... — cochichou Tati.

— Espero que você e a Mi caiam juntas em teatro! — respondeu Dani bem baixo, com medo de levar outra bronca.

— Ia ser muito legal, mas só falta eu cair em Desenho! Vai ser horrível, só sei desenhar flor, casa e árvore. Igual uma criança — disse Mi.

— Pelo menos você sabe desenhar alguma coisa, eu não sei desenhar nada! — disse Tati.

— E o primeiro sorteado para estar no grupo de Desenho é... Natasha!

— Eu não, eu não, eu não... — Mi voltara a torcer.

— Gustavo, Bruna, Aline, Marcelo, Rafael...

Tati viu Rafa sorrir e não pôde deixar de sorrir também, ele nitidamente havia ficado muito feliz com o sorteio, pensou que seria ótimo se Mi e ela fossem sorteadas para Teatro, aí todos com quem se importava ficariam felizes com o trabalho.

— Júlia, Ricardo, Giselle, Luiza, Maria Eduarda e, por fim... Tatiane!

Tati sentiu seu coração disparar. Havia sido sorteada para o mesmo grupo de Rafa! Era realmente azarada para essas coisas, pensou que morreria de vergonha sempre que tivesse de ir aos encontros em grupo e mostrar seus desenhos para os integrantes. Ela era péssima e ele ótimo, fazia lindos desenhos que todos elogiavam sempre. Não havia nem passado por sua cabeça que pudesse cair no mesmo grupo que ele. Sentiu-se gelada. Lembrou-se do professor falando que não poderiam trocar de grupo, não teria como fugir. Engoliu em seco.

— Os integrantes do grupo de Teatro não precisarei sortear, pois são todos os nomes que não foram chamados até agora.

Mi deu um gritinho empolgada; desde que o trabalho havia sido anunciado, havia duas semanas, torcia para cair no grupo de Teatro, estava muito satisfeita com a sorte que tivera.

— Agora vou explicar os temas de cada grupo, depois todos devem se reunir para começar a discutir sobre como realizarão o trabalho. O tema do grupo de Escultura é...

Tati nem respirava, não podia acreditar em como havia se dado mal no sorteio. Ficou tão feliz por Rafa ter caído no grupo de Desenho e agora pensava que ele devia ter sido sorteado para outro grupo. Não sabia como iria aguentar fazer o trabalho

~33

semestral com ele, tudo bem que o grupo tinha mais dez pessoas, mas mesmo assim estava muito nervosa, já que ficaria perto do garoto vários dias da semana e teriam de conversar. Esse fato a deixava com muito frio na barriga, porque ele era *literalmente* o menino dos seus sonhos.

O tema do trabalho de desenho era "Coisas que inspiram você", e o grupo deveria apresentar na exposição no fim do semestre desenhos que demonstrassem isso. Cada integrante deveria desenhar coisas que os inspiravam utilizando todas as técnicas que aprenderam na aula de Artes: carvão, guache, aquarela, lápis de cor, lápis 6B etc.

Após o professor explicar sobre todos os temas, os integrantes de cada grupo se reuniram para começar a combinar como seria o trabalho. Tati escolheu sentar bem longe de Rafa, pois temia que ele percebesse o seu desconforto se estivesse muito próxima. Na verdade, não sabia direito o que lhe dava medo, apenas pensava que o melhor seria sentar longe, *bem longe* do garoto.

Bruna também estava no grupo de desenho e deu a ideia de que cada um devia trazer um rascunho de algo que os inspirava no dia seguinte, com o que todos concordaram. Iriam se encontrar depois do almoço para começar o trabalho e discutir como fariam a exposição. Tati geralmente opinava sobre as diretrizes dos trabalhos, mas dessa vez não falou nada. Não conseguiu pensar ou se concentrar direito no trabalho e, mesmo tendo achado cedo para levar um rascunho de alguma coisa que os inspirava no dia seguinte, não conseguiu dar sua opinião. Como ninguém discordou de Bruna, ficou decidido que no encontro todos levariam um primeiro esboço. Arrependeu-se de não ter falado nada na hora, porque depois se deu conta de que não tinha a mínima ideia do que a inspirava.

— O que inspira você, Dani? — perguntou Tati para a amiga, quando iam embora.

— Ouvir música olhando a chuva — respondeu Dani. — E você?

— Não sei... Vou pensar hoje à noite. E você, Mi?

— Ouvir música olhando a chuva.— Dani a olhou surpresa e Mi riu. — Zoeira. Tocar teclado, abraçar alguém quando está frio... Fazer teatro! Sei lá, muitas coisas, inclusive estar com vocês agora! — Mi abraçou as amigas.

— Que azar você ter caído no grupo da Tasse, amiga — disse Dani.

— Ah, tudo bem. Ela é meio mandona, mas não tem problema.

— Pelo menos o Rafa caiu no seu grupo, compensa ter caído junto com a mais insuportável da classe — disse Mi. — Nisso você teve sorte; ele é bem legal!

Tati concordou com a cabeça e sorriu sem graça. Sentia-se tudo, menos sortuda.

Capítulo 5

Ajuda inesperada

Tati estava em casa pensando no que desenharia em seu primeiro esboço. Deveria levá-lo no dia seguinte para discutir com o grupo sobre as ideias que tinha para o trabalho. Refletira muito sobre o que a inspirava e não chegara a nenhuma conclusão. Sentia-se um E.T., pois as amigas haviam respondido essa pergunta com muita facilidade. Bufou. Queria ter caído em outro grupo, com outro tema. Resolveu usar a ideia de Mi e fazer um teclado, embora gostasse mais da ideia dela sobre abraçar alguém no frio, apesar de nunca ter feito isso; imaginava que seria muito bom. Desistiu da ideia quando refletiu sobre como faria para desenhar duas pessoas se abraçando no frio. Sem dúvidas, tratava-se de algo muito complexo e ela era péssima. Desenhar um teclado parecia bem mais fácil. Fez alguns esboços horríveis e foi dormir, pensando que Rafa levaria um esboço lindo e ela, teclas tortas.

— Ah, tá bonito — disse Dani olhando o desenho de Tati.
— Você mente mal, Dani. Mi, olhe você!

— Se a Dani tá dizendo, eu acredito nela — disse Mi bocejando.

— Miiiiii!

— Tá bom, deixa eu ver. — Mi olhou o desenho e disse, em tom de brincadeira: — Nossa, Tati, você toca teclado?

— Não, sua tonta, você toca — disse Tati séria.

— Então por que ele inspira você?

— Não *me* inspira. Inspira *você*. É que eu não sei o que me inspira e tinha que trazer um esboço. Desculpe por ter roubado sua ideia.

— Ai, Tati, não ligo! Eu tenho certeza de que logo você vai ter uma ideia bem legal. Você, sei lá, gosta de estudar — tentou Mi. — Isso não inspira você?

— Não — respondeu desanimada.

— Você gosta de ver filmes! E se você pensasse em algo assim? — sugeriu Dani.

— Essas são coisas de que gosto, não que me inspiram. Não consigo nem imaginar *uma* coisa que me inspira, imagine desenhar várias!

— Ah, você é muito exigente, por isso não achou nada ainda — disse Dani. — Tenho certeza de que o pessoal vai fazer qualquer coisa.

— Também acho, mas não imite todo mundo. Não faça qualquer coisa, porque você não é assim. Tenho certeza de que você vai ter várias ideias! Ainda tem o semestre todo pela frente, relaxe! — Mi tranquilizou a amiga.

O sinal para o intervalo tocou. Foram para o pátio e lá avistaram algo que não queriam ver tão cedo: o famoso "Mural dos Horrores", apelidado carinhosamente assim por Mi, que falava que o quadro verde expondo as notas das provas de todos os alunos da escola era um horror de se ver, de tão mal que as pessoas se saíam. Nesse quadro verde, que ficava no pátio da escola, listas com as notas de todas as matérias eram expostas, tornando muito fácil saber quem eram os CDFs e quem eram os NCDFs (nada CDFs) das classes.

— Sabia que tinha tirado oito e meio em português — disse Mi vendo suas notas, ansiosa.

— Dani, você conseguiu seis e meio em física! Melhorou muito — Tati parabenizou a amiga.

— Eu sei que ainda é ruim, mas pelo menos é azul — murmurou Dani.

— Você vai melhorar mais. É só continuar estudando.

— Quanto será que a Tasse tirou? — Mi procurou. — Nossa, três e meio! Não falei que ela era burra?

— Ai, coitada, Mi — disse Tati.

— Coitada nada, eu não ia falar nada se ela não tivesse mexido com a Dani antes.

Era verdade; Milena era muito justa e não falava mal dos outros, só dos que mereciam, segundo ela.

— Valeu, hein, Mi! Tiramos azul em tudo — Leo chegou perto.

— É, mas química ficou em cima.

— Ah, eu não colei de você em química.

— Não? Quanto você tirou?

— Oito e meio. Da próxima vez você cola de mim — Leo deu uma piscadinha para Mi e saiu.

— Ia ser bom, mas não consigo colar dos outros — disse Mi para as amigas. — Vou ter que estudar mais.

Dani concordou, mas não contou para elas que havia anotado as fórmulas de física na mão, o que deixaria Tati chateada.

Embora a amiga lhe tivesse ensinado toda a matéria, não conseguia memorizar algumas fórmulas, e em todas as provas mensais, escrevia na mão as mais difíceis.

— Fica tranquilo, na próxima prova eu ajudo você a estudar. Matemática é meio chato mesmo, mas se a gente estudar junto, vai ficar mais legal. — Tati ouviu Rafa falar para um dos meninos da sala que ela não conhecia, e que, pela cara, parecia não ter ido bem nas matérias.

— Mas vou obrigar você a ficar estudando a mais comigo só porque eu vou mal sempre? — disse o menino para Rafa. — Não precisa, valeu.

— Ah, não tem problema, a gente estuda e depois você me ensina a passar aquela fase do jogo — respondeu Rafa. — Vai ser muito legal!

O menino se animou e eles combinaram que nas próximas provas Rafa o ajudaria a estudar e depois jogariam videogame. Tati sorriu, Rafa era muito legal e esse era um dos motivos por estar apaixonada por ele. Disfarçadamente olhou suas notas; ele tinha ido bem em quase todas as provas, e se sentiu feliz, porque pelo menos os dois combinavam em uma coisa: eram estudiosos.

— Vamos comprar alguma coisa pra comer, estou com fome — disse Mi puxando as amigas.

Tati acabara de almoçar, pensava na aula de educação física que tivera na manhã. Rafa passou por ela duas vezes, mas nem lhe falou uma palavra. Toda terça e quarta era o mesmo sofrimento, passava duas aulas inteiras perto dele e não era ao menos percebida... Ah, se Rafa soubesse o quanto Tati pensava nele! Não mudaria nada, claro. Na verdade seria pior, tinha certeza de que se ele soubesse, tudo ficaria igual e ela morreria de vergonha. Ou talvez mudaria algo? Não, não mudaria, afinal ele sempre passava batido por ela. Preferia pensar que não a notava porque sequer imaginava seus sentimentos, mas que a achava uma garota legal, só não conversava com ela por que... Será que a achava chata? Sentiu o coração apertado dentro do peito, será que ele não fazia questão de falar com ela por isso? Queria se concentrar em outro assunto, mas era impossível, porque passaria mais algumas horas fazendo o trabalho com ele; não bastava ter aula de artes e educação física juntos, precisavam estar no mesmo grupo. Como era azarada!

Estava indo para a sala de estudos da escola. De repente, parou de andar e sentiu seu rosto corar. Rafa já se encontrava lá sentado, esperando o restante do grupo. Deu meia volta. Não ficaria ali sozinha com ele, pois não saberia o que dizer e, além do mais, queria se poupar de uma situação desconfortável. Afinal, o menino nem olhava para ela quando estavam no mesmo grupo de amigos conversando e agora Tati suspeitava que Rafa não gostava *mesmo* dela. Não saberia o que dizer e tinha medo de que ele a ignorasse, porque isso a magoaria muito. Iria ao pátio esperar uns quinze minutos até o pessoal chegar.

Suspirou. Não podia ser tão medrosa assim. Resolveu entrar na sala, torcendo para não estar vermelha.

— Oi — disse em voz baixa, sentando à mesma mesa que Rafa.

— Oi — ele respondeu sem parar de mexer no celular. Tati viu um esboço de rosto nos papéis que estavam na mesa. Ele iria desenhar uma menina, é claro.

— Tá quente, né? — disse ele, olhando pela janela.

— É — ela respondeu rápido.

Que desastre de conversa! Com certeza, ele a achava chata.

E ela realmente não levava jeito para essas coisas, por isso ainda não tinha beijado ninguém; era péssima quando se tratava de garotos. Em sua imaginação e em seus sonhos tudo parecia mais fácil e melhor. As amigas já tinham ficado com vários garotos;

Dani inclusive já havia até namorado. Já ela não conseguia nem dizer um simples "oi" para o menino de quem gostava.

— Oi, gente! —Bruna chegou, trazendo uma pasta de desenhos. — O que vocês desenharam? Eu estou desenhando o meu canário. Não tá pronto ainda; precisa de uns detalhes — disse, mostrando um desenho horrível de algo parecendo uma banana.

— Só falta descascar — disse Rafa.

— O quê? — perguntou Bruna.

Tati segurou a risada.

— Quem você tá desenhando? Sua mãe? — Bruna olhava os desenhos de Rafa.

— Não... Você desenhou o quê, Tati? — disse pegando a folha dela. — Você toca teclado?

— Não, a Mi é quem toca. Eu não sabia o que desenhar e desenhei isso. — Tati quis se afundar no chão.

— É difícil mesmo. Eu mesma fiquei pensando horas no que faria, aí ouvi o meu canário cantar e na mesma hora comecei a desenhar. Aí o meu vizinho que estava passando do lado da janela parou e me disse que se emocionou com a cena... — Bruna falava toda empolgada, mas Tati tinha certeza de que era tudo invenção.

O restante dos integrantes do grupo foi chegando logo depois de Bruna, e a primeira reunião seguiu sem problemas. Decidiram que cada um definiria um tema que os inspirava e desenhariam esse tema em todas as técnicas aprendidas na aula, assim teriam doze figuras em diferentes técnicas para a exposição e na apresentação do trabalho contariam qual técnica combinava mais com o que sentiam sobre determinado tema escolhido. Tati ficou aliviada de ter que pensar em apenas uma coisa que a inspirava, mesmo não tendo ideia do que, seria mais fácil pensar em uma coisa do que em várias. Estava indo para casa quando ouviu seu nome. Para sua surpresa e nervosismo, era Rafa.

— Oi — disse Tati sem jeito.

— No que você pensa mais?

— O quê?

— Pra você saber o que desenhar. Pense no que faz você mais feliz, no que a deixa com mais vontade de fazer outras coisas, na primeira coisa que você pensa quando acorda... no que você pensa mais! Isso com certeza deve inspirar você!

Tati olhou, confusa, não esperava que ele a aconselhasse.

— Foi assim que você descobriu o que desenhar?

— Foi! Vou indo, até amanhã.

Rafa foi embora rápido. Tati o ficou admirando até ele sair de sua vista, sentindo que nunca havia sido tão difícil respirar antes. Vê-lo tão de perto, falando exclusivamente com ela, a deixara sem ar. Ele tinha olhos tão expressivos que a fizeram suspirar. Como seus olhos castanhos podiam ser tão lindos assim? Relembrou a primeira vez que o vira no corredor da escola: usava uma camiseta vermelha, e passou bem ao seu lado. Foi a primeira vez que Tati virou a cabeça para trás com a intenção de olhar um garoto que passava por ela. Mais tarde, no mesmo dia, foi apresentada a ele por Leo e ficou sabendo que o garoto havia sido transferido porque seus pais haviam se divorciado, e agora ele morava com a mãe, que fora promovida no emprego e mudara de cidade por conta disso. As mães de Leo e Rafa se conheciam, pois haviam estudado juntas na faculdade, e por isso os dois já eram amigos. Leo fez de tudo para deixar Rafa o mais confortável possível em seus primeiros dias na escola e o apresentou para todos, incluindo Mi, e por consequência, ela.

Aos poucos, Tati foi se apaixonando por ele, mas, infelizmente, Rafa nunca olhava para ela. Às vezes, enquanto o fitava na aula de Artes, Educação Física ou até mesmo nos corredores da escola, Tati tinha vontade de gritar para ele "Olhe pra mim!", e essa vontade ficava apenas em sua imaginação, pois nunca teria coragem de falar algo assim em voz alta. Não tinha coragem nem de dizer para as amigas que gostava dele, quanto mais pedir que a olhasse. Era loucura pensar nisso, mas muitas vezes queria que ele ouvisse seu grito imaginário e a olhasse, por pelo menos um segundo. O fato de Rafa nunca fazer isso a incomodava e a confundia; odiava passar tão despercebida, enquanto sonhava com ele todas as noites.

Sempre pensara que ele não ligasse para ela, mas naquele instante sentia-se imensamente feliz. Rafa havia sido legal com Tati pela primeira vez e até estava tentado ajudá-la! Nunca imaginou que o menino faria algo assim, e o fato de haver contrariado suas expectativas (para o bem) a deixou muito surpresa. Não fora uma conversa longa, mas pelo menos o rapaz trocara mais do que duas palavras com ela e a havia olhado de frente, ainda por cima. E que olhar ele tinha! Sentiu-se ainda mais apaixonada e decidiu que iria praticar desenho todas as noites até ficar boa, pensando que assim Rafa se interessaria em falar mais com ela. Sorriu ao pensar que, talvez, ele não a achasse tão chata quanto havia pensado antes.

Frustração

Entrou em seu quarto e abriu a mochila. Havia uma folha sulfite dobrada solta lá dentro. Mais um rascunho horrível, pensou Tati, pois tinha desenhado muitos teclados durante a aula antes de ir para o primeiro encontro do grupo. Jogou a folha em cima de sua mesa de cabeceira sem abrir, cansada de ver seu talento nada promissor em desenho. Iria jantar e, depois de fazer as lições de casa, desenhar.

Sentou-se na cama e sorriu sozinha. Lembrava-se nitidamente da voz de Rafa ao falar com ela quando estava indo embora. Conseguia rever em sua mente até mesmo o jeito como colocou a mão no bolso enquanto falava. Só de pensar que ele tinha ido atrás dela para conversar, ficava vermelha e sentia seu coração disparar. Teria Rafa se preocupado com ela? Não, afinal era apenas um trabalho que não conseguia fazer. Teria percebido que ela ficou com vergonha por não saber o que desenhar? Era possível; não se recordava na hora, mas com certeza devia ter feito uma cara estranha ao dizer que não havia tido nenhuma ideia do que desenhar.

Tati chegou à conclusão de que não importava o motivo para Rafa ter ido falar com ela; o importante foi ter falado, dado conselhos e se interessado. Fora uma conversa muito rápida, mas fez Tati se sentir feliz, surpresa, envergonhada, apaixonada, apreensiva, ansiosa e nervosa. Como era possível sentir tudo isso junto? Tinha mil sensações, mil pensamentos, mil vontades, mas nenhuma ação. Nunca conseguia reagir quando estava perto daquele garoto. Será que era normal se sentir assim ou ela que era estranha mesmo? Tinha vontade de falar de verdade com Rafa, puxar assunto, descobrir mais sobre ele, mas apenas balbuciara algumas frases e ele fora embora. Se pudesse voltar no tempo, faria tudo diferente. Começaria uma conversa como uma garota normal. Tinha certeza de que faria isso. *Tinha mesmo?* Duvidou. Pensou um pouco e teve certeza absoluta que ficaria igual, boba de novo.

—Você estava tão calada no jantar hoje, Tati — disse seu pai, enquanto enxugava a louça do jantar que ela lavava. —Tati? Você me ouviu, filha?

— Eu ouvi, claro. — Tati voltou à realidade, depois de ter andado perdida em meio aos seus pensamentos.

— O que está acontecendo? Algum problema na escola?

— Não…

—Você está assim por causa do trabalho de Artes?

—Ah, pai, não tenho a mínima ideia do que desenhar ainda. Eu fui a única que não desenhou algo que me inspirasse.

— Mas esse trabalho não é só para o fim do semestre?

— É… mas queria fazer logo. Tem um garoto no grupo que desenha super bem —Tati corou ao falar de Rafa.

— Filha, cada um tem uma habilidade. A sua é escrever e ter muita facilidade nos estudos, a desse moço é desenhar e por aí vai. Você não pode ficar chateada porque não desenha como ele.

— Eu sei… não é por isso que eu fiquei chateada. É porque parece que eu fui a única que não desenhou o que me inspirava, sabe? Fiz o que inspirava a Mi!

— O seu grupo tem mais onze pessoas, certo?

— Isso.

— Filha, você acha que essas onze pessoas já desenharam o que as inspira em dois dias?

Tati refletiu. Realmente, dois dias era pouquíssimo tempo para descobrir e desenhar algo assim.

— Acho que não.

— Você tem muito tempo ainda, filha. Não se preocupe.

Sentiu-se mais tranquila após conversar com o pai sobre o trabalho. Ele estava certo: era muito difícil desenhar algo assim tão rápido; as pessoas de seu grupo deviam ter desenhado qualquer coisa. Dani também comentara que achava que as pessoas fariam isso. Tati chegou a conclusão, depois de refletir sobre os esboços dos colegas, de que deviam mesmo ter feito a primeira coisa em que pensaram. Menos Rafa. Rafa parecia saber bem do que falava quando foi aconselhá-la. Torceu para que seu desenho não fosse uma menina, e, se fosse, para que não se tratasse de alguém da escola. Seria muito doloroso saber que ele gostava de alguém que Tati conhecia.

Ela se sentou à mesa de seu quarto e começou a desenhar. Fez uma flor horrível e amassou o papel. Flores não a inspiravam, pelo contrário: faziam-na espirrar, já que era alérgica. Sentiu-se idiota por ter desenhado isso. Pegou outra folha e desenhou um livro. Não se sentiu inspirada. Jogou a folha fora. Desenhou uma caneta. Amassou a folha. Quis desistir. Nada a inspirava.

Era sexta-feira à noite, então no dia seguinte passaria a tarde com as amigas. Isso a relaxaria muito, e aliviaria um pouco a frustração que sentia. Havia passado a semana inteira pensando e desenhando e tudo o que conseguiu foi acabar com o pacote de folha sulfite.

— Nada me inspira, Dani. — Tati estava deitada em sua cama, conversando no celular com a amiga.

— Ai, Tati, você ainda tá encanada com isso?

— Eu passei a semana toda pensando… E não consegui nada!

— Você fica pensando demais, desenha e pronto!

— Eu tentei! E não saiu nada que conseguisse me inspirar.

— Mas faz qualquer coisa. Não precisa inspirar mesmo.

— O trabalho é sobre inspiração.

— E daí?

— E daí que a gente vai ter que explicar na exposição porque o desenho nos inspira.

— Ih, aí é complicado.

— É… Mas eu sei que tem bastante tempo. Conversei com o meu pai na quarta e ele me acalmou um pouco. Sempre gosto de fazer as coisas bem e direito, e deve ser por isso que estou tão preocupada com o trabalho.

Tati era mesmo muito dedicada aos estudos, mas desde que soube que faria o trabalho no mesmo grupo que Rafa, ficara ainda mais preocupada do que já era em relação a trabalhos escolares; aquele, em especial, a perturbava, pois Rafa era ótimo em desenho e Tati queria impressioná-lo, para chamar sua atenção de alguma forma, já que não conseguia conversar com ele. Depois que o menino a ajudara inesperadamente, quis ainda mais encontrar uma fonte de inspiração boa e desenhar lindamente, mas do jeito que as coisas andavam, tudo o que conseguiria expor no fim do semestre seriam teclas um pouco menos tortas do que as de seu primeiro esboço.

— Tati, tenho certeza de que você vai conseguir ter uma boa ideia pro seu trabalho. Pode apostar.

— Obrigada, amiga. E o seu trabalho, como vai?

— Bem.

Tati riu.

— Que mais?

— Ah, vamos fazer uma coletânea de músicas que representam várias etapas da nossa vida: bebê, criança, adolescente e por aí vai. Aí cada fase vai ter dois momentos, por exemplo, o do bebê será andar e falar. Estamos selecionando as músicas que combinam, e não precisa ser uma música infantil para essa etapa, mas alguma que fale sobre comunicação, falar algo ou não, livre expressão. Queremos fazer uma coisa bem divertida e com metáfora, sabe?

— Ah, que legal! Queria tanto ter caído no seu grupo...

— É, o meu está bem legal de fazer. Estou adorando... mas estaria mais ainda se você estivesse nele também! Mas fica tranquila, o seu também vai ser legal de fazer quando você decidir o desenho. Tati, vou ter que desligar agora, a Li tá chorando. A gente se vê amanhã!

— Tá bom, duas e quinze, viu? — O encontro entre Mi e Tati estava marcado às três, mas como Dani nunca chegava no horário, marcaram mais cedo com ela, esperando que chegasse às três.

— Pode deixar. E não fica preocupada, não. Boa noite, beijos!

— Boa noite, e obrigada, Dani!

Tati desligou o celular. Ficou feliz pela amiga, porque geralmente ela não se empolgava com nenhum dos trabalhos escolares, mas esse parecia estar sendo bem divertido para ela. Pensou no seu e ficou encanada com o desenho; não estava se divertindo nem um pouco fazendo o trabalho, ao contrário de Dani. Se sentia muito frustrada com isso, embora outra coisa a frustrasse mais ainda: Rafa. Conversaram quarta-feira e só. Ela havia sido boba de pensar que se falariam mais depois de ele a procurar para ajudá-la. Havia se enchido de expectativa quinta e sexta. Quinta não o viu no intervalo e nem na hora de ir embora. Pensou que sexta iria encontrar com ele, então naquela manhã se enchera de esperanças de vê-lo e de, quem sabe, conversar com ele. Nada aconteceu. No intervalo ele passou ao seu lado e não lhe disse uma palavra sequer. Será que não a vira? Não estava chateada com ele, mas com a situação toda: não conseguir desenhar, perder a chance de falar mais com ele na quarta e não ter oportunidade de conversar com o garoto nos outros dias da semana.

Pensou que o dia seguinte seria bom e divertido, uma vez que estaria junto com as melhores amigas. Esperava que esse sentimento ruim passasse. Dormiu pensando em Rafa, provavelmente sonharia com ele e acordaria antes da melhor parte outra vez.

Sorveteria

Tati acordou muito animada com a perspectiva de aproveitar o dia, achando que, com isso, toda a frustração da semana pareceria bem menor. Primeiro iriam à sua sorveteria preferida (o que era ótimo, porque fazia um calor muito forte), depois assistiriam a uma comédia no cinema, e, para completar, tirariam várias fotos.

A caminho da sorveteria, ouviu músicas românticas no celular. Achava engraçado o fato de todas as músicas de amor fazerem tanto sentido quando as pessoas estão apaixonadas. Toda música romântica que ouvia a lembrava dele, e parecia que um filme passava em sua cabeça com várias imagens de Rafa, combinando com o ritmo da música. Sentia-se boba, sorria sozinha e tinha certeza de que fazia caras e bocas engraçadas ouvindo as músicas.

Ao mesmo tempo em que gostava dessas sensações, estava confusa, parecia que a cada dia descobria algo novo. Estar apaixonada era lindo e estranho, confuso e esclarecedor, tranquilizante e aterrorizante. Tudo ao mesmo tempo. As pessoas falavam que estar apaixonado era uma droga, mas Tati não achava isso; gostava dessa mistura de sentimentos.

Uma droga era não ser correspondido, e disso entendia bem. Rafa era um garoto muito legal e engraçado, mas não ligava nem um pouco para ela, nunca a olhava nem queria conversar. O fato de tê-la ajudado no dia do trabalho de Artes foi legal, mas por mais que não tivessem se encontrado na escola nos dias que se seguiram, Tati supunha que — mesmo se tivesse existido uma oportunidade de conversarem — nada teria sido diferente, infelizmente. Ficava brava com isso, mas não podia culpá-lo, afinal quem estava apaixonada era ela e não Rafa, logo, ele não tinha o dever de tratá-la diferente nem de conversar mais com ela. Entendia isso, mas não deixava de pensar como seria bom se Rafa lhe desse mais atenção — e nem de se perguntar como reagiria se isso acontecesse.

Chegou à sorveteria e encontrou Mi já sentada, esperando as amigas.

— Oi, Gêmea — Mi soou animada.

— Oi! Chegou cedo! Agora são três em ponto; não atrasei.

Tati sentou-se à mesa com a amiga.

— Eu sei, cheguei agora há pouco também. E aí, como você tá?

— Bem.

Mi arqueou a sobrancelha.

— Você não me engana, Tati. O que tá acontecendo?

Tati segurou a respiração. Será que a amiga descobrira seu segredo em relação ao que sentia por Rafa?

— Fala, amiga! Você tá assim por causa do trabalho de Artes?

Tati suspirou aliviada. Não estava pronta para dividir essa confusão toda com a amiga ainda. Primeiro precisava entender seus sentimentos e decidir se faria algo sobre isso ou não.

— O trabalho de Artes está me estressando muito — Tati não mentia; o trabalho a fazia perder o sono mesmo.

— Mas eu tenho certeza de que você vai saber logo o que desenhar... é só pensar no que te faz mais feliz e o que a deixa com mais vontade de fazer outras coisas...

O conselho da amiga era bem parecido com o que Rafa havia lhe dado no primeiro encontro do grupo.

— É... o Rafa falou que era pra eu pensar nisso também.

Mi sorriu para a amiga.

— Tenho certeza que você vai ter a melhor ideia de todas! E que você vai desenhar muito bem!

— Obrigada, Gêmea! — Tati sentiu-se um pouco mais animada e esperançosa agora. A opinião de Mi era muito importante para ela, o que a fez se perguntar por que não conseguia se abrir e revelar à amiga o que sentia por Rafa. Estar apaixonada a paralisava. Sentia-se travada e não conseguia reagir, por mais que quisesse.

— E a Dona Danielle, hein? — resmungou Mi, olhando a hora no celular.

— Você sabe como ela é, Mi... Acontecem mil coisas e ela não consegue chegar no horário.

— Ah, mas isso me irrita. Por mais que a gente fale, ela sempre atrasa!

— Eu sei, Mi, mas não tá legal ficar aqui comigo enquanto a gente espera?

— É, mais ou menos — fingiu Mi.

— Sua boba! — Tati deu um tapinha no braço da amiga. — Agora, me conta, como estão as coisas na sua casa?

As duas amigas ficaram conversando por uma hora inteira na sorveteria. Tati escutou Mi desabafar sobre o difícil relacionamento com os pais e lhe deu alguns conselhos. Acabou se distraindo de seus próprios problemas ao ouvir Mi contar os dela. Por uma hora inteira não pensou em Rafa; só pensou em ajudar a melhor amiga.

— Oi, gente, desculpa o atraso. — Dani sentou-se com as amigas. — Já tomaram o sorvete?

— Ninguém mandou demorar tanto — disse Tati rindo.

— Pois é. — Mi ficou séria.

— Então vou pegar meu sorvete e já venho!

Dani fingiu que não viu o olhar fuzilante de Mi.

— Mi, não briga — sussurrou Tati.

— Ai, Tati, mas parece que ela faz de propósito!

— Mas ela não faz, você sabe. Promete que vai esquecer isso pra gente se divertir?

— Não.

— Mi!

— Eu só prometo o que posso cumprir.

— Tá, então promete que vai tentar?

— Tá bom, prometo. Mas vou chamar você de Gêmea o tempo todo pra irritar a Dani.

— É, isso eu já sabia.

As duas riram e Dani sentou-se à mesa com um pote com vários sabores de sorvete.

— Roubei! — Mi deu uma colherada primeiro que Dani.

— Tá, tudo bem, vai, eu mereço — disse Dani. — Quer também, Tati?

— Não, já fiquei cheia. Obrigada!

— Certeza, Gêmea?

Dani bufou, mas resolveu ignorar as tentativas de Mi de irritá-la; sabia que a amiga havia ficado brava com ela.

— Então, nem contei pra vocês! Estou há uns dias trocando várias mensagens com o Diego — disse Dani.

— Aquele garoto do segundo B? — perguntou Tati.

— É, eu sempre achei ele lindo!

Mi e Tati se entreolharam. Ele era *horrível*.

— Jura? — disse Mi.

Tati deu um pisão no pé dela.

— Ai! — Mi não tentou disfarçar.

— Que foi? Vocês não acham ele bonito? — Dani perguntou em tom de espanto.

— Ah… não sei! Nunca olhei muito pra ele — enrolou Tati.

— Mas você sabe quem é, né?

— Sei. O que você tem falado com ele?

— Ah, de música, filmes! Ele é bem legal. Acho que vou ficar com ele.

— Que legal, Dani! Ele pediu? — perguntou Tati.

— Não, mas não precisa pedir. Eu gosto quando as coisas acontecem de repente, sabe?

— Eu também — disse Mi. — É mais emocionante.

— Ah, Mi, tava querendo falar uma coisa pra você, mas sempre esqueço. Tenho um amigo que quero apresentar! — disse Dani.

— Quem é? Eu conheço?

— Não… O nome dele é Fernando, mora na minha rua. Ele combina muito com você e é *lindo*!

Mi fez uma careta, porque as duas claramente não tinham o mesmo gosto para rapazes.

— É sério, Mi! Você vai gostar dele — insistiu Dani.

— É que eu não estou a fim de conhecer ninguém, sabe? — enrolou Mi.

— Você não confia no meu gosto?

Mi ia responder que não, mas Tati a interrompeu:

— Como ele é?

— Ah, ele tem cabelo escuro, olhos castanhos-esverdeados... ele é bonito *de verdade*, juro!

— Aham, sei — disse Mi.

— E ele toca violão super bem. Você ia gostar dele. Ele é viciado em séries, igual a você.

— Ah, Mi, já pensou que legal seria você tocando teclado e ele violão? Ia ser romântico — concordou Tati. — Por que você não sai com ele, só pra se conhecerem?

Mi pareceu se empolgar mais.

— Tá, mas só se eu olhar uma foto primeiro.

— Ih, ele não tem nenhuma na internet. Ele é muito tímido.

— Ah, então deve ser feio. Não vou sair com ele, não — disse Mi, exagerada.

— Dá uma chance, Mi! — Tati disse às gargalhadas.

— Não, o menino nem tem foto na internet. Deve ser mais feio que o Diego!

— Ah, então você acha o Diego feio? — perguntou Dani.

— Acho, foi mal, amiga. Acho ele bem feio, mas é normal a gente não ter o mesmo gosto — disse Mi. — Obrigada por tentar me apresentar alguém, mas eu não quero.

— Então tá bom. Ele pode ser o amor da sua vida e você não quer conhecê-lo. Aí já já ele começa a namorar uma menina e você vai ter perdido a chance porque não confia em mim! — disse Dani em tom de brincadeira.

Mi refletiu um pouco.

— Tá, tá bom. Faz assim: traz uma foto dele que aí eu vejo o que acho.

— Nossa, você deve achar o Diego horrível mesmo — Dani soou surpresa. — Mas tudo bem, vou trazer a foto. Só não sei como vou conseguir. Alguma ideia?

— Sei lá, você que quer me apresentar pra ele.

— Sua chata! — Dani riu.

— Quero ver essa foto logo, hein, Dani? Não enrole! — disse Tati. — Eu fiquei com um pressentimento de que a Mi vai gostar desse menino!

Mi riu e balançou a cabeça, negando. Em seus pensamentos, torcia para o pressentimento da amiga estar certo; pelas descrições de Dani, esse "Fê" parecia combinar mesmo com ela.

— Mas, gente, sério mesmo que vocês não acham nenhum menino que eu fiquei bonito? — perguntou Dani.

— Ah, eu acho aquele que faz aula de teclado com a Mi, o que sempre chega no fim da aula...

— O Felipe. Também acho — concordou Mi.

— É, ele é o mais bonito de todos mesmo, mas eu não fiquei com ele ainda, gente.

— Ah, é... Então, nenhum! — disse Mi, rindo.

— Sem graça! — Dani a censurou. — Mas em breve vou ficar.

— Depois disso, vamos achar um menino que você ficou bonito — disse Tati, rindo também.

— Tá, tá bom, nem ligo pra vocês, viu? — Dani também ria, afinal. — Vamos ao cinema agora?

— Vamos! — respondeu Tati.

— Só se a Dani pagar — Mi respondeu, brincando. — Ninguém mandou chegar atrasada.

— Eu pago a pipoca — disse Dani.

— Eu, o refrigerante — disse Tati.

— E eu não pago nada — disse Mi. — Brincadeira, eu pago o sorvete.

Tati estava muito feliz. Tivera um dia maravilhoso ao lado das amigas. Elas conseguiam fazê-la rir de tudo e esquecer como estava estressada. Não recebia olhares de Rafa, mas recebia muito amor e atenção das amigas. Sentiu-se agradecida por tê-las em sua vida e pensou que, quando estivesse preparada para falar em voz alta o que sentia por Rafa, contaria tudo para elas.

Dia de chuva

Era terça-feira, na aula de Geografia, mas como chovia muito, vários alunos faltaram na escola e os primeiros colegiais A e B tiveram todas as aulas juntos, em vez de apenas a de Artes. Isso deixava Tati muito nervosa, pois Rafa não tinha faltado na escola e estava sentado no fundo da sala junto com Leo e outros amigos deles. Ficar as seis aulas do dia na mesma sala que ele era um perigo, pois tinha vontade de olhá-lo o tempo todo, o que ficaria muito visível, já que Tati estava na terceira fileira e ele na última. Iria se controlar e olhar uma, talvez duas vezes.

— Hoje você vai fazer o trabalho de Artes à tarde, né, Tati? – perguntou Mi.

— Vou. — Tati estremeceu ao pensar que passaria quase o dia todo perto de Rafa. — Infelizmente, porque ainda não tenho nenhuma ideia.

— O que a Tasse desenhou? – perguntou Mi.

— Um canário.

— Tava bonito? – perguntou Dani.

— Não, mas ela acha que sim.

— Como sempre – disse Mi.

— Tava muito ruim? — perguntou Dani.

— Parecia uma banana.

As três riram.

— O Rafa desenhou o quê? — perguntou Dani.

— Não sei, era um rosto, acho que de uma menina. Não tava pronto — disse Tati.

— O quê? Será que ele tá gostando de alguém? — Mi se empolgou.

— Pode ser alguma famosa — disse Dani.

— Não dava pra ver quem era. — Mas Tati torcia para ser alguma celebridade.

Estavam no intervalo e, para aumentar o nervosismo de Tati, os meninos não desgrudaram delas um minuto; Leo puxava todos os tipos de assunto com Mi, o que era muito engraçado, pois os dois não combinavam em nada. As tentativas de Leo ficar com ela não davam certo e, ao mesmo tempo em que achava engraçado ver os dois juntos, Tati sentia pena do garoto, pois sabia que ele tentava de todos os jeitos chamar a atenção da amiga.

— Eu concordo com a Mi, prefiro praia — disse Dani.

— Eu gosto dos dois, adoro nadar — Rafa comentou.

— E você, Tati? — perguntou Leo.

— Eu também gosto dos dois — respondeu baixo e sem jeito. Parecia que ela e Rafa tinham mais em comum do que imaginava.

— Vamos todos para a praia, então!

— Você acabou de dizer que não gosta de praia, Leo! — disse Mi.

— Eu até gosto de praia. — Leo não gostava, mas a ideia de ficar mais perto de Mi o empolgava.

— Gosta nada! — Mi estava rindo.

— Oi, gente! — Bruna entrou no meio de Mi e Leo. — Só vieram cinco pessoas do nosso grupo hoje por causa da chuva, então é melhor cancelar a reunião do trabalho, né?

— Melhor. Não consegui acabar o primeiro desenho ainda — disse Rafa.

— Então tá! — disse Bruna. — Tudo bem pra você, Tati?

— Claro; nem decidi o que vou fazer. — Arrependeu-se de dizer isso, pois com certeza Rafa devia julgá-la uma tonta.

— A gente marca de novo amanhã, que o pessoal deve vir — disse Bruna. — Como tá o seu trabalho, Leo?

— Nem começamos — disse Leo sem emoção. Tati tinha a impressão de que ele evitava conversar com Bruna quando Mi estava perto.

Mi olhou impaciente para Bruna. A menina entendeu o recado, pois se despediu rápido e saiu.

— Coitada, Mi, ela só veio conversar! — disse Tati.

— Coitada de mim, que tive que ouvir a voz dela tão de perto de novo — resmungou Mi.

— Dani, já que não vai mais ter o trabalho à tarde, posso dar carona pra você. Tá chovendo muito e como eu não trouxe guarda-chuva, a minha mãe vem me buscar, ela viria depois do trabalho, mas já que foi cancelado, vou pedir para ela vir no horário de almoço dela — disse Rafa para Dani.

— Sério? Mas não vou atrapalhar vocês?

— Não, a sua casa é caminho da minha.

— Ah, valeu, Rafa, quero carona, sim.

— Beleza, me espera no pátio na hora de ir embora, minha mãe deve demorar um pouco porque o almoço dela começa na hora da nossa saída, mas pelo menos você não se molha.

Tati sorriu, pensou em como seria legal pegar carona com ele, pena que suas casas ficavam em caminhos opostos. Imaginou ela, Rafa e a mãe dele conversando dentro do carro. Seu sorriso se desfez, ficaria muito desconcertada estando no carro com eles e não conseguiria falar nada. Pensou que o melhor mesmo era morar longe, porque aí não corria o risco de encontrá-lo no caminho da escola, como já havia acontecido algumas vezes com Dani.

O grupo continuou conversando. Rafa falava às vezes e Tati adorava ouvir sua voz e opinião, mas não parava de pensar que em nenhum momento durante a conversa ele a olhou. Começava a ficar chateada; ele nunca mais falou com ela diretamente, como havia pensado que aconteceria depois da conversa que tiveram no dia do trabalho de Artes, o que a incomodava muito. Pensou que não devia ter criado expectativa sobre isso. Olhou para ele e imaginou os dois rindo e conversando juntos. Teriam ainda três aulas depois do intervalo, sendo duas de Artes, em que precisariam sentar perto um do outro por causa do trabalho. Quem sabe não conversariam sobre algo na aula? Lá estava ela criando expectativa de novo; não conseguia controlar os pensamentos – todos se direcionavam para Rafa.

Tati estava sentada na carteira, copiando a lição da lousa. Virou para trás para olhar Rafa, já na última aula do dia, e, apesar de terem passado o intervalo inteiro no mesmo grupo de amigos conversando e terem tido todas as aulas juntos, o menino não olhou para ela e nem lhe falou uma só palavra a manhã inteira. Como haviam faltado muitos alunos por causa da chuva, o professor de Artes passou outra atividade na aula e não o trabalho, como Tati havia esperado, portanto, os dois não sentaram próximos, conforme imaginara, nem conversaram.

Aliás, não trocaram nem duas palavras em momento algum, apesar de terem passado praticamente a manhã toda juntos.

Tudo continuou igual. Sentiu-se estúpida por pensar que agora se tornariam amigos. Havia culpado as circunstâncias da semana anterior por não terem tido a oportunidade de se falar, mas a culpa não era da falta de encontro deles na escola. Era de Rafa, que não tinha o mínimo interesse em falar com ela. Não sabia o que havia passado na cabeça do menino para ter ido conversar sobre o desenho e lhe dar conselhos de como descobrir o que a inspirava. Devia ter sentido pena dela por ter usado a ideia da amiga, isso sim. Rafa a ignorava completamente e agia como se ela nem existisse, nunca lhe ofereceria carona como fizera com Dani. Ele não era legal, e sim antipático, e Tati não sabia mais por que gostava dele; não via mais nada de interessante e diferente nele. Julgou-o apenas um garoto normal e metido.

Mentira.

Ele era legal, gentil, engraçado e simpático... só não gostava dela! Nem falava com ela, nem lhe dava atenção, nem conversava quando estavam no mesmo lugar, nem a olhava, nem... Rafa olhou para Tati, que desviou o olhar rápido. Seu coração acelerou. Será que o garoto havia percebido que ela o olhava? Teria ficado muito tempo fazendo isso? Será que ele viu? Será que mais alguém viu?

— Tati! Tati! O sinal bateu! — chamou Mi. — Guarde as coisas!

— Nossa, não anotei nada! Como eu estou desligada! Você anotou?

— Na minha cabeça.

— Você anotou, Dani?

— Dormi.

O desenho

ati chegou em casa aflita, incapaz de parar de se perguntar se Rafa percebera que ela o encarava. Havia se perdido em seus pensamentos e acabara se esquecendo de disfarçar. Imaginou-se vidrada olhando-o, sem nem mexer a cabeça. Se ele tivesse visto, devia ter estranhado. Ponderou um pouco. Provavelmente não vira, pois Tati levara um susto tão grande quando ele se virara para ela que, em um milésimo de segundo, ela já grudara os olhos na lousa, fingindo escrever a lição. Imaginou se ele poderia ter sentido que alguém o observava e voltado a cabeça para o local de onde sentia vir. Às vezes acontece, alguém olha e você sente esse olhar. Teria sido isso, ou será que Rafa a observava para admirá-la também? Seria incrível se isso acontecesse, mas impossível, ele nunca se dirigia pra ela... até que o fez, e Tati não conseguiu manter-se firme e se desviou rapidamente. Tantas vezes sentia vontade de gritar para ele olhar para ela e quando ele fizera exatamente isso, ela recuara. Era uma medrosa mesmo!

Imaginou se no dia seguinte ele a olharia de novo. Torceu para que sim, mesmo sabendo que provavelmente isso não aconteceria, e que não conseguiria encará-lo outra vez.

Também poderia ter sido uma coincidência o olhar dele cruzar com o seu bem quando o fitava. Com certeza, seria mais cuidadosa nos próximos dias, pois não queria levantar suspeitas sobre seus sentimentos e não queria que ninguém soubesse de seu segredo, muito menos ele.

Deitou-se na cama, decidindo que faria os deveres de casa depois do almoço e, quando acabasse as lições, tentaria desenhar um pouco. Não aguentava mais ter tantas dúvidas sobre o que a inspirava. Fechou os olhos e a imagem que surgiu em sua mente foram os olhos de Rafa, que por um segundo, pertenceram a ela.

Olhos castanhos. Eram lindos. Ele a olhou muito rápido, mas foi intenso. Morreu de vergonha e desviou bem rápido, mas foi o suficiente para aquela imagem ficar guardada em sua memória. O olhar de Rafa a fazia sentir um misto de sensações que se tornavam até engraçadas, por serem tão contraditórias. Quando ele a encarou, seu coração acelerou ao mesmo tempo em que parou de bater; ela respirou fundo, mas ficou sem ar; se sentiu quente e gelada e por mais que quisesse que ele a olhasse, levou um susto muito grande e não aguentou ficar voltada para ele. Teria ficado com vergonha pela possibilidade de Rafa ter percebido que o olhava ou teria ficado assim justamente porque ele a olhara? Não sabia mais. Tudo aquilo a fazia pensar em mil coisas. Sentia uma adrenalina grande dentro de si, teve vontade de se levantar e correr, mas também quis permanecer deitada, pois o acontecimento sugara suas forças. Sentiu fome, mas não vontade de comer; quis fazer muitas coisas e não soube o quê. Sentia frio na barriga só de pensar em Rafa. Cada vez que revia a cena em sua cabeça, ficava com mais vontades infinitas de diferentes coisas. Estranhou. O olhar dele a inspirava a fazer tudo e a não fazer nada ao mesmo tempo. O amor era realmente engraçado. Parou de pensar e levantou-se de súbito da cama. Estava inspirada! E, pela primeira vez, sabia descrever como era se sentir assim. Sorriu. Havia descoberto qual seria o seu desenho para o trabalho de Artes.

Era tão óbvio agora, como não havia pensado nisso antes? Como tinha demorado tanto para descobrir? Era boba mesmo. Rafa a fazia sentir e pensar muitas coisas e por conta de seus sentimentos por ele, experimentava milhares de sensações juntas. O fato de ele nunca olhar pra ela a fazia sentir mil coisas diferentes ao mesmo tempo e o fato de ele olhá-la a fazia querer realizar essas mil coisas. Tati sempre achou os olhos de Rafa lindos e depois que haviam conversado no dia em que ele a ajudara, achou-os tão profundos que se sentiu mais apaixonada ainda. Agora que seus olhares haviam se encontrado, não parava de pensar em como o dele mexia com ela, o quanto a inspirava e a fazia sentir várias coisas novas ao mesmo tempo. Sorriu ao rever em sua mente, pela centésima vez, o segundo que pareceu ser infinito: os olhos de Rafa encontrando os seus.

Estava animada; sentia-se muito melhor agora que sabia o que a inspirava. Não era um E.T. como imaginava; só precisara de mais tempo para descobrir. Pegou seu celular e começou a trocar mensagens com Mi:

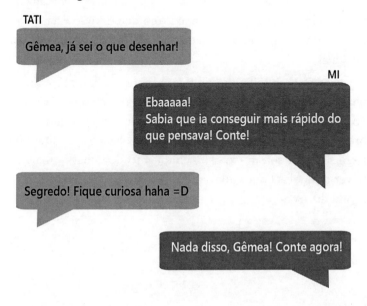

> Não, primeiro quero ver se vou conseguir, porque vai ser difícil.

> É claro que você vai conseguir, tenho certeza! Fique tranquila, vai ficar lindo!
> Eu deixo você me contar amanhã rs
> Bom trabalho S2

Era isso o que Tati precisava ler. Pegou a mochila. Havia outra folha sulfite dobrada dentro de sua apostila, e Tati a jogou na mesa de cabeceira junto com a outra e pegou seu estojo. Tinha vários rascunhos de desenhos em sua escrivaninha, mas jogaria tudo fora, já não tinha dúvidas e não precisaria mais utilizar a ideia da amiga. Sabia o que a inspirava; tinha certeza absoluta daquilo que pensava sempre, e Mi a havia encorajado. Não precisava de mais nada — além de tempo para conseguir realizar o trabalho bem. Tempo ela tinha, e agora que estava certa do que desenharia, sentia mais vontade ainda de executar bem o que imaginava.

Pegou uma folha de sulfite em branco e começou a desenhar. Sentia-se empolgada e ansiosa para ver como sua parte do trabalho ficaria na exposição. Estava muito inspirada, e, em breve, teria lindos olhos castanhos desenhados em diferentes técnicas, para serem expostos. Enquanto desenhava, imaginou se veria aqueles lindos olhos castanhos olhando para ela de novo algum dia e como reagiria caso isso acontecesse outra vez.

Capítulo 10

Beijo no menino feio

Como estavam muito perto um do outro, Tati não conseguia falar nada. Olhos castanhos a encaravam. Queria muito saber como era beijar e sentir o gosto do beijo dele. Ele se aproximou e entreabriu os lábios. Ela fechou os olhos.

— Chegamos, filha! Ué, tava dormindo? — perguntou o pai de Tati.

— Não — ela respondeu, mais uma vez havia sido interrompida na melhor parte do sonho.

— Como não? Tava babando! — Ele riu. — Tchau, filha!

Tati desceu do carro, morrendo de sono. Tinha ficado acordada até muito tarde desenhando, pois decidira que iria conseguir desenhar os olhos de Rafa muito bem. Quem sabe quando mostrasse um desenho bom, Rafa começasse a conversar mais com ela? Era o único jeito que ela conseguia pensar para se aproximar dele. Sendo muito dedicada, apenas precisava praticar muitas vezes, pois não levava muito jeito para desenho. Apesar de saber que seria difícil, estava mais confiante agora que descobrira o que a inspirava.

Avistou Mi sentada no primeiro degrau da escada, com cara de poucos amigos e de braços cruzados.

— Aconteceu alguma coisa, Mi?

— Nada. — Ela soou agitada e ríspida. — Só estou com muita raiva.

— Por quê? Brigou com quem?

— O de sempre! Eu só queria ter falado alguma coisa, mas nunca falo nada e depois fico com tudo engasgado! Isso vai acabar me matando! — Mi era mesmo muito dramática.

— Calma, Gêmea, você sempre consegue falar quando não gosta de alguma coisa, mas com os pais é diferente. Eu também não consigo falar muito. É difícil responder pra eles, né?

— É, mas um dia vou acabar explodindo.

Mi sentiu uma cutucada. Olhou para trás. Pedro estava ali; entregou para ela um origami de dragão e saiu sem dizer nada.

— Vê se eu mereço? — resmungou ela séria.

Depois as duas começaram a rir.

— Então, me conte, como estão os ensaios da peça? Tá difícil decorar o texto? — Tati queria distrair a amiga.

— Não, já decorei.

— Já? Como você consegue tão rápido? É por isso que você vai tão bem em história!

— Não, é porque eu presto muita atenção na aula — disse Mi, já sabendo o que Tati responderia.

— Ah, tá, você presta muita atenção *no professor*, isso sim!

— Eu presto mesmo! — As duas riram. — Agora me conta, qual é o desenho misterioso? Conseguiu fazer?

— Ah, não vou contar, não!

— Por quê? Você disse que ia me contar hoje!

— Você que disse pra eu contar hoje; *eu* não falei nada! E, além disso, você sempre me enrola quando vai contar alguma coisa, então vou enrolar você também!

— Ui, tá vingativa, é? Quem tá influenciando você mal assim?

— Quem você acha? A minha Gêmea! — As duas riram.

— Me conte, vai, por favor!

— Não! Só vou contar quando você ficar bem curiosa!

— Mas eu já fiquei! — Mi estava mesmo, mas Tati parecia irredutível. — Me conte que eu conto uma fofoca!

— Ah, não, depende. A fofoca é boa?

— Ah, é meio engraçada.

— Ai, Mi, já tô vendo que você tá me enrolando!

— Tô nada, juro! Me conte! Por favor, eu fiquei tão triste pela briga com os meus pais, isso iria me distrair! — dramatizou Mi.

Tati sabia que a amiga havia falado isso para obrigá-la a contar. Já estava acostumada com essas coisas, porque Mi era cara-de-pau mesmo. Resolveu contar, querendo saber a opinião dela.

— Tá bom... Vou desenhar olhos! Esse aqui é o melhor, até agora. — Tati mostrou um dos desenhos que havia feito na noite anterior.

— Olhos inspiram você?

— Acho que o olhar das pessoas. — Não mentiu, apenas omitiu o fato de que o olhar que a inspirava não era o de uma pessoa qualquer.

— Hum... profunda! — zoou Mi. — Gostei da sua ideia. Vai ficar muito legal na exposição.

— Mas é muito difícil desenhar. E eu ainda estou na primeira prancha.

— Ué, por que você não pede ajuda pro Rafa? Ele desenha muito bem, e podia ensinar você.

Aquela seria uma ótima solução se Tati ao menos conseguisse ser uma pessoa normal perto dele, ou conversar com ele ou ao menos *falar* perto dele, mas não era o caso. Queria chamar a atenção de Rafa com o desenho, e a ideia de Mi seria perfeita para isso, mas a verdade era que não tinha coragem de pedir isso ao garoto, então esperava desenhar bem para ele notar a melhora em seu traço e se sentir interessado em conversar. Era um plano idiota, sabia disso, mas era a única coisa que conseguiria fazer.

— Acho que vou continuar tentando sozinha — disse Tati, disfarçando.

— Você que sabe. Fica tranquila, porque tenho certeza de que você vai conseguir. Danielle, venha cá! — Mi chamou, ao avistar Dani chegando à escola.

— Oi, gente! — Dani não parava de rir.

— O que aconteceu? — perguntou Tati.

— Acabei de ficar com o Diego!

— O quê? Jura? — Mi se surpreendeu.

— É, ali no canto! — Dani apontou o corredor perto da cantina.

— Como foi? — perguntou Tati.

— Ah, foi muito bom! Eu acho que a gente combina, sabe? E ainda por cima, ele beija super bem!

— Que bom, né? Compensa a feiura — disse Mi.

— Boba. — Dani riu.

Tati olhou para Mi e notou que sua expressão mudara, e não entendeu por que a amiga fora grossa com Dani, sem haver razão nenhuma para isso.

— Você acha que vão continuar ficando? — perguntou Mi.

— Acho que sim! Eu adorei!

— Eu acho muito legal você ser tão segura assim com os garotos, Dani. Eu não conseguiria — disse Tati.

— Segura? Sou nada, sempre que vejo um menino olhando pra mim, logo penso que ele tá olhando uma espinha gigante na minha cara.

Tati riu. Nunca pensara que Dani tivesse esse tipo de pensamento; a amiga parecia sempre muito segura em relação a meninos. Pelo menos, essa era a impressão que passava.

— Mas claro que não fico mais com vergonha, porque já passei dessa fase.

Tati ficou muito feliz pela amiga. Era tão natural para ela ficar com garotos. Perguntou-se se um dia seria assim também.

— Ficou feliz? – perguntou Tati.

— Muito! Eu sei que vocês duas acham o Diego feio, mas foi legal ficar com ele.

— Ah, eu não acho ele tão feio. — Tati achava, mas não queria magoar a amiga.

— Eu acho. — Mi deu de ombros. — Mas tudo bem, não fui eu que fiquei com ele mesmo.

— Olhe, Milena, se um dia você namorar um menino feio, vou zoar você pro resto da vida! – disse Dani rindo.

— Se um dia eu namorar, né? Porque não aparece um que goste de mim!

— Não é isso, Mi, é que não aparece um de que *você* goste! – Tati corrigiu a amiga, rindo.

— Quando ela conhecer o meu amigo, vai gostar, tenho certeza – disse Dani.

— Traga uma foto pra eu saber se vou conhecer ele ou não.

— Vou trazer! Agora vou ao banheiro, antes da aula começar.

Assim que Dani saiu, Tati olhou para Mi, que ainda parecia irritada. Será que tinha se lembrado da briga com os pais e por isso ficou estranha na conversa com a Dani?

— Tá tudo bem, Gêmea?

— Aham. — Esse era o "Não" de Mi.

Tati pensou em distrair a amiga e disse:

— Então, me conte a fofoca! Já falei o que vou desenhar, logo você me deve uma fofoca.

Mi suspirou, pensou que antes seria engraçado contar isso, mas agora não mais.

— Ontem eu vi "o menino feio", vulgo Diego, beijando uma menina na esquina do colégio.

Capítulo 11

A foto

Tati ficou chocada com a revelação de Mi, e se sentiu péssima por Dani. A amiga se alegrara tanto por ter ficado com Diego e, aparentemente, tinha sido apenas mais uma para ele. O amor não era justo. Sabia que Dani não se apaixonara por ele, mas mesmo assim não era justo. Não queria que a amiga se enchesse de expectativas e depois se machucasse.

— Você vai contar pra ela, Mi? — perguntou enquanto estavam a caminho da quadra, onde teriam aula de Educação Física. Dani estava se trocando.

— Não sei, o que você acha?

— Tenho medo que ela se chateie. Será que ele vai ficar com as duas ao mesmo tempo?

— Não sei. Se ele ficou com a outra menina só ontem, acho que não tem problema. Pode ter sido só uma ficadinha.

— É, agora que ele ficou com a Dani, não deve mais ver a outra menina.

— Não sei, vou ver se o feioso fica com a menina de novo hoje e, se ficar, eu conto.

— Tá bom. Espero que ela não comece a gostar dele — Tati murmurou, em tom esperançoso.

— Não é tão fácil assim gostar das pessoas, Gêmea.

Tati refletiu, achando que aquilo poderia até ser verdade. Ela mesma nunca havia gostado de ninguém antes, mas, muito facilmente, se apaixonara por Rafa.

— Alcancei vocês! — Dani chegou correndo.

Estavam na aula de Educação Física se aquecendo e se alongando para começar a jogar. As meninas jogariam basquete primeiro e os meninos jogariam futebol depois. Geralmente o professor misturava os alunos do primeiro A e B nos times.

— Ano que vem vai ter interclasses entre os colégios da mesma rede que o nosso — comentou Aline, uma das amigas de Bruna.

— Verdade, e eu vou ser a capitã do time, como sempre! — disse Bruna, que era ótima em Educação Física. — Pena que nem todo mundo consegue jogar tão bem assim.

Tati se irritou, sabendo que Bruna se referia a Mi, péssima em todos os esportes. Para sua sorte, Mi resolveu ignorá-la.

— Você vai querer participar do interclasses, Dani? — perguntou Bia, a outra amiga de Bruna. Tati achava que das três, ela era a mais legal.

— Acho que sim. É muito divertido.

— E você, Mi? — perguntou Bia em tom de deboche.

Tati estivera enganada; Bia não era legal e sim, idiota. Torceu para Mi responder bem atravessado.

— Não, fica tranquila que não vou roubar seu lugar no time. Já fiz isso na nossa peça de teatro.

Tati riu por dentro, pois a menina havia merecido ouvir essa resposta. Mi e Bia estavam no mesmo grupo de trabalho de

Artes, haviam disputado o papel de protagonista da peça, mas Mi ganhara por votação unânime entre os membros do grupo.

— Você não é tão boa assim! — gritou Bia.

— Posso não ser *tão* boa, mas você é *ruim*! — Mi começava a se irritar.

— Não sou ruim, você que acha isso!

— Eu e o resto do grupo, né? Porque todo mundo votou em mim, e já que não sou tão boa, você que deve ser ruim *mesmo*!

Bia lançou um olhar fulminante para Mi, que arqueou a sobrancelha. Tati resolveu intervir:

— Ajude aqui, Mi, quero me alongar! — Mi forçou as costas da amiga, que estava sentada com as pernas cruzadas, em direção ao chão. — Ai, credo, tá bom! Não sou tão alongada quanto você!

— Ai, pronto, agora vai ficar exibindo o espacate — Bia revirou os olhos.

— Dá pra parar de falar comigo? — respondeu Mi.

— Bia, deixa essa menina pra lá — disse Aline. — Ela só tá com recalque porque é horrível em Educação Física!

— A Mi é boa em muita coisa, diferente de vocês! — Dani defendeu a amiga.

— Meninas, não vamos brigar — disse Tati.

— Ninguém vai brigar, porque não vale a pena! — debochou Bia.

— Então calem a boca, vocês tão enchendo o nosso saco!

— Deixe, Mi, elas não têm mais nada pra fazer. São desocupadas! — disse Dani.

Aline ia responder quando Leo e Rafa se aproximaram.

— Vai me ver jogar, Mi? — perguntou Leo.

O coração de Tati parou. Rafa ficava lindo de regata. Essa era a melhor parte de ter aula de Educação Física junto com o

1°B — admirá-lo usando sua linda regata vermelha. Engoliu em seco e continuou se alongando, não podia deixar que ninguém percebesse que estava babando por ele.

— Claro, você joga muito bem. Quem sabe até pode me ensinar pro ano que vem eu jogar no interclasses — disse Mi, que obviamente só havia falado isso para irritar Bruna e Bia.

— Acho meio difícil aprender assim rápido — Bruna disse. — Eu jogo desde criança.

— Acho que tudo depende de um bom professor — retrucou Dani.

— Tem gente que não tem jeito — insistiu Bruna. — A Milena só ia ficar no banco de reserva.

— Não liga, Mi, também sou péssimo em Educação Física — Rafa quis amenizar a situação.

— Prefiro ficar de reserva do que de recuperação como você — respondeu Mi. — E nós somos bons em artes, Rafa, que é o que gostamos!

— Que bom pra vocês — resmungou Bruna.

— Falando em artes, já conseguiu descobrir o que desenhar, Tati? Você tava com tanta dificuldade! — disse Aline, que também era do grupo de desenho.

Tati corou. Ela tinha que ter falado isso bem na frente de Rafa?

— Eu tava, mas agora já sei o que vou desenhar.

— Sério? Que legal! O quê? — perguntou Rafa.

Tati perdeu o ar. Ele falara com ela! Depois de dias sem nem olhar pra ela, estava interessado em saber o que ela iria desenhar. Ponderou um pouco. Rafa devia ter perguntado aquilo com a intenção de amenizar o clima tenso que estava na aula, como havia feito antes com Bruna e Mi, pois devia ter percebido o tom de deboche de Aline ao falar que ela estava com dificuldade para fazer o desenho.

— Olhos — respondeu rápido e deu Graças a Deus quando o professor chegou para dividir os times.

Agora estava na vez dos meninos jogarem futebol. Tati assistia Rafa jogar. Como ele havia falado antes, era péssimo em esportes. Corria de um lado para o outro, mas nunca encostava na bola.

— Vou ao banheiro — disse Mi levantando-se do chão.

— Eu também. — Dani ficou ao lado de Mi. — Vai ficar, Tati?

— Vou. Podem ir.

As amigas foram embora, e Tati viu Leo se entristecer ao ver Mi saindo, pois antes o rapaz estava todo exibido, jogando super bem para se mostrar para ela. E ele, bem diferente de Rafa, era um ótimo jogador.

Tati aproveitou que estava sozinha e pegou o celular. Queria tirar uma foto de Rafa disfarçadamente. Ele jogava mal, mas ficava tão lindo de regata que Tati não resistiu. Tirou a foto, que ficou embaçada. Tirou outra.

— Essa ficou boa — disse Bruna se sentando ao lado de Tati.

Tati gelou. Fora estúpida. Teve vontade de voltar no tempo e não tirar aquela foto.

— Tudo bem, Tati, eu já tinha percebido que você gostava do Rafa. — Tati segurou a respiração. Estava tão na cara assim? — Eu vi como você fica perto dele — continuou Bruna.

Tati sempre suspeitava quando Bruna falava alguma coisa, afinal, ela poderia muito bem estar jogando verde para colher maduro; além do mais, estava com raiva da ex-amiga por conta da briga de antes. Decidiu mentir.

— Eu não gosto dele — disse rápido e se levantou. — A foto era pra Mi, do Leo.

Foi uma ótima desculpa, já que Leo havia saído na foto também.

— A Milena gosta do Leo?

Tati ficou com mais raiva ainda de Bruna por ser tão intrometida e torceu para que ela realmente estivesse gostando de Leo, como ela e as amigas suspeitavam. Torceu mais ainda para Mi ficar com ele e Bruna morrer de raiva. Pensou que seria ótimo se ela levasse um belo fora e depois visse o menino que gostava com outra. E, melhor ainda, com a menina que mais detestava na escola.

— Não. O Leo gosta da Milena e ele fica tanto no pé dela que ela pode acabar se interessando. Melhor você desistir dele, porque ele não tá nem aí pra você!

Notou Bruna ficar séria e sem palavras. Levantou-se e foi em direção ao banheiro para achar Mi e Dani, pois as duas ficavam meia hora se olhando no espelho e perdiam a noção do tempo.

Capítulo 12

A culpa

Tati chegou em casa exausta. Nos intervalos das aulas sempre fazia rascunhos dos olhos. Melhorava aos poucos. Desenhava tanto que sua apostila ficava cheia de folhas sulfite. Antes de dormir tentaria pintar os olhos em aquarela, uma das técnicas que precisava entregar para a exposição.

Lembrou-se da aula de Educação Física e do que falou para Bruna. Na hora se sentiu ótima por ferir o coração da ex-amiga, mas agora se sentia péssima. Não era do seu feitio fazer coisas assim, mas a história com Rafa andava deixando-a louca e, quando ouviu a voz de Bruna falando sobre a foto, quase tivera um infarto. Além do mais, andava muito com Mi; isso com certeza tinha aprendido com a amiga. Mi era descontrolada, Tati não. Refletiu mais. Talvez fosse verdade, mas não podia culpar Mi por algo que ela mesma havia feito.

Pensou que o certo a se fazer seria chamar Bruna para conversar no dia seguinte e se desculpar. Afinal, não era culpa dela que estava ficando louca por não saber o que fazer em relação a Rafa. Talvez fosse a hora de contar para as amigas sobre o que sentia, mas ela mesma estava tão confusa em relação a isso que não sabia o que dizer. Resolveu dormir, torcendo para que, dessa vez, seu sonho chegasse ao fim.

— Mãe, você já se arrependeu por ter falado algo quando estava com raiva? — perguntou Tati para a mãe, enquanto tomavam café da manhã.

— Claro, filha, acho que isso já aconteceu com todo mundo.

— Mas você pediu desculpas?

— Sim, sempre peço desculpas pro seu pai.

Tati riu. Não costumava pedir muitos conselhos para a mãe, mas se sentia tão culpada por ter sido grossa com Bruna que precisava conversar sobre isso.

— Você brigou com quem? — a mãe perguntou, curiosa. — Com a Mi?

— Não, mãe, a gente nunca briga!

— Com a Dani?

— Não, com aquela menina que antes era minha amiga, a Bruna.

— E ela mereceu ter ouvido o que você falou?

— Não sei, ela e as amigas dela estavam implicando bastante com a gente na Educação Física.

— E quando elas fizeram isso vocês responderam?

— Sim.

— E o que você falou pra Bruna depois teve a ver com a implicância delas na aula?

— Não...

Tati se sentiu mal; talvez tivesse exagerado mesmo com Bruna. Mas, refletindo melhor, não havia exagerado. Bruna havia se intrometido perguntando sobre a foto. Pensou de novo, e achou que não devia ter tirado a foto; não fora culpa de Bruna tê-la visto fazendo isso. Ou será que tinha?

—Você vai pedir desculpa pra ela, Tati?

—Vou. Acho que exagerei. Fiquei com raiva da briga na aula e desconto nela. Não foi só ela que brigou, na verdade. Quem implicou mais com a gente foram as amigas dela. Ela só implicou com a Mi, pra variar.

Estava decidido: na hora do intervalo chamaria Bruna para conversar e pediria desculpas. Não queria ter ferido o coração dela, só preferia que ela não a tivesse visto tirando a foto.

— Aí a minha mãe ficou super feliz! Disse que a Li logo vai andar! — Dani contou às amigas sobre a primeira engatinhada de sua irmãzinha, antes da primeira aula.

— Que fofa, já, já vai estar indo pra balada com você —Mi disse com uma risadinha.

— Ah, é bem capaz de ela ir primeiro do que eu, do jeito que o meu pai é, acho que só vou com trinta anos! —Tati reclamou.

— Eu ainda vou convencer seu pai a deixar você ir com a gente! — disse Mi.

Sentiu uma cutucada, olhou para trás e lá estava Pedro com um origami de flor na mão pronto para entregar a ela.

—Ah, não! De novo? Por que você sempre faz isso? Por que você sempre me entrega um origami e vai embora sem dizer nada? — Mi não se segurou dessa vez.

— Porque eu acho mais fácil entregar um origami do que falar com você. Assim você ri do origami e não de mim.

Mi arregalou os olhos; era certo que ele falava como se fosse um robô e que sua voz era muito estranha, mas se sentiu péssima com a resposta dele.

— Eu nunca riria de você. — Mi ficou desconcertada. — Eu acho os seus origamis muito bonitos... Obrigada! — Ela sorriu, não querendo ferir os sentimentos do garoto.

— Ótimo — respondeu ele com um sorriso estranho. — Então amanhã tem mais.

O sorriso se desfez na cara de Mi.

— Quê? — disse sem acreditar, pensando que devia ter falado a verdade sobre o que achava dos origamis. Quando não falava o que pensava de verdade, coisas assim aconteciam. Por isso era sincera quase sempre. Isso não queria dizer que era grossa com as pessoas, tomava cuidado como falava suas verdades. Claro, com quem merecia.

— Amanhã tem mais — Pedro repetiu mais alto. —Toma, pra você! — Estendeu a mão com seu jeito de robô.

Mi pegou o origami de flor e Pedro saiu andando sem olhar para trás.

— Quem sabe agora ele fala alguma coisa antes de entregar? — Dani quis amenizar a situação.

— Urgh! — foi tudo o que Mi conseguiu falar, e foi para a sala.

Estavam na aula de história, e Tati anotava toda a matéria e tentava se concentrar na lição. Queria não pensar em mais nada naquele momento, mas estava muito difícil. Imaginava se Bruna havia ficado muito chateada com o que lhe dissera. E se tivesse feito a menina chorar? Tentou lembrar exatamente do que falara para ela; não havia falado nada tão grave assim, a ponto de deixar Bruna aos prantos, e talvez ela já tivesse até esquecido de sua grosseria. Se fosse assim, não teria por que pedir desculpas.

— Mi — chamou Tati.

A amiga nem se mexeu; estava parada com a caneta na mão olhando para o professor. Não havia escrito nada na apostila.

— Pisque, Mi!

— O quê? — Mi virou-se para Tati.

— Falei pra você piscar, assim você disfarça um pouco o seu interesse em *história*.

Mi sorriu de lado e passou a mão no cabelo. Piscou duas vezes.

— Pisquei. Viu?

— Boba! Dá até pra ver sua baba na apostila.

— Engraçadinha! — Mi começou a anotar a lição.

Tati deu risada e olhou para a fileira em que Bruna estava. Pediria desculpas, mesmo que a ex-amiga não tivesse se magoado. Era o certo a fazer, e se sentia culpada demais para não conversar com ela e explicar que andava nervosa e por isso fora tão grossa no dia anterior.

Sua consciência estava pesada demais para deixar isso de lado; pediria desculpas e então ficaria mais tranquila. O erro fora seu por ter tirado a foto sem ter olhado antes se havia alguém por perto. Deveria ter sido mais cuidadosa. Bruna não tinha culpa de ter visto sem querer e comentado a respeito. Quem sabe se desculpando Bruna, não comentaria com as amigas sobre a foto? Ou será que já tinha comentado?

Revelações

— Bru, posso falar com você?

Estava na hora do intervalo e Bruna conversava com Aline e Bia.

Ela concordou. Tati achou melhor conversar dentro da sala de aula, pois lá estaria vazio. Era o lugar perfeito para seu pedido de desculpas; não queria que ninguém ouvisse a conversa e aproveitaria para reiterar que a foto era de Leo e não de Rafa. Não mentia muito bem, mas contar a verdade seria pior. Estavam entrando na sala de aula quando Leo e Rafa, que estavam saindo, esbarraram nelas.

— O que vocês estão fazendo aqui? — perguntou Bruna, já que aquela não era a sala deles.

— Procurando a apostila de inglês do Leo. Ele perdeu ontem — Rafa respondeu.

— A Mi me disse. Conseguiu achar? — Tati corou só de imaginar que Rafa podia estar olhando para ela.

— Não, mas tudo bem. Vou colar da Mi na prova mesmo. — Ao dizer isso, os dois saíram da sala.

— Você sabe há quanto tempo os dois estão ficando? — Bruna perguntou.

— Eles não estão ficando. Nunca ficaram. Desculpa pelo que eu falei ontem. Eu fui muito grossa. Eu sei que você gosta dele.

— Sabe? — Ela parecia surpresa.

— Eu já vi você olhando pra ele várias vezes. Eu acho legal como você consegue conversar com ele mesmo sentindo isso.

— Por quê? Você não consegue?

— Não.

— Você ainda é BV, Tati?

— Bruna!

— O que foi, você me contou isso no começo do ano! — disse, rindo.

— Eu sei… e ainda sou.

— Deve ser por isso que você não consegue falar com o Rafa.

— Eu tava tirando foto do Leo, pra Mi.

— Eu sei que você não tava, Tati. Era do Rafa, eu vi!

— Eu fiquei brava porque isso não é assunto seu, por isso fui grossa com você ontem. Só queria pedir desculpas. Não costumo tratar as pessoas assim.

— É claro que eu desculpo, Tati, no seu lugar eu ficaria igual. Eu tava passando na hora e ouvi o barulho da câmera do celular. Desculpa também?

— Desculpo, claro! Você por acaso comentou com alguém da foto?

— Não! Fique tranquila; seu segredo está a salvo comigo.

Tati sorriu aliviada.

— Se você precisar conversar com alguém sobre o que tá sentindo, pode me falar. Eu sei que você tem suas amigas… mas… eu também já fui sua amiga e sinto sua falta!

— Obrigada, é muito difícil falar sobre isso, nunca tinha acontecido comigo...

— Se apaixonar?

Tati foi boba. Deixou Bruna enrolá-la e acabou afirmando que gostava de alguém. Preferiu não responder nada e sentiu seu rosto esquentar. Devia estar muito vermelha.

— Bom, já que nos desculpamos, vou voltar pro pátio — disse Bruna. — Na primeira vez em que me apaixonei, também não conseguia falar nada... Sei como é.

— Não conseguia?

Não devia ter perguntado nada, mas não se conteve. Era bom saber que não era a única a ficar sem ação quando gostava de alguém.

— Não... mas fique tranquila. Você disfarça bem. — Tati pensava que disfarçava bem, até tirar aquela foto. — Além disso, o Rafa é muito legal. Você teve sorte. Muitas garotas se apaixonam por meninos galinhas e acabam sofrendo muito por isso.

Tati refletiu um pouco. Nunca tinha visto Rafa com alguém na escola, mas ele podia muito bem estar ficando com alguma menina, uma vizinha ou amiga.

— Acertei? Você gosta mesmo dele?

— Eu gosto... Mas, *por favor,* não conte pra ninguém.

— Claro que não, né!?

— Nem pra Aline e pra Bia!

— Não vou contar. Mas você não pode bobear também. Tirar foto dele fica muito na cara.

— É, eu sei. Não sei por que fiz isso; eu tinha mais cautela antes. Eu gosto dele desde que ele entrou na escola e ninguém nunca tinha percebido.

— Nossa, já deve fazer uns três meses então!

— É... Bom, vou voltar pro pátio agora, desculpa mesmo por ontem e obrigada por conversar. Foi bom falar isso em voz alta. —Tati saiu da sala e Bruna fez o mesmo.

Tati se sentia muito bem por ter contado para alguém o que sentia e por ter conseguido falar em voz alta que gostava de Rafa, pois nunca havia feito isso. Seus sentimentos ficavam sempre guardados em seus pensamentos. Sentiu-se boba por ter escondido isso por tanto tempo. Estava na hora de contar tudo para Mi e Dani. Refletiu; talvez não tudo. Torcia para que as amigas nunca descobrissem que Bruna fora a primeira a saber, pois ficariam muito chateadas, principalmente a Mi.

Logo o sinal tocaria e começaria a aula de espanhol, a matéria de que menos gostava. Queria que o resto do intervalo demorasse bastante tempo para passar ou que o professor tivesse faltado.

— Acabei de levar um fora! — Dani bufou, sentando-se no banco do pátio com Mi e Tati.

— O Diego deu um fora em você? — perguntou Mi.

— É, ainda bem que nem me animei muito...

— Mas o que ele disse? —Tati ficou preocupada com Dani.

— Que não sentiu química comigo ontem.

— Ai, que mentira, é porque ele já tava ficando com uma menina antes. — Mi não se segurou.

— Ele tava? — Dani se surpreendeu.

— A gente ia contar, amiga... a gente só tava esperando pra ver se ele ia ficar com as duas ao mesmo tempo — explicou Tati.

— É que a gente não sabia se ele só tinha dado uma ficadinha com ela ou se ia continuar... Se fosse só uma ficadinha antes, não ia ter problema, né? O ruim seria se ele quisesse ficar com as duas ao mesmo tempo.

— É, mas pelo visto, ele quis dar uma ficadinha comigo e não com ela.

— Deixe pra lá, Dani. Tenho certeza de que você vai achar um muito melhor — disse Tati.

— Eu não fiquei brava... é que é ruim levar um fora. *Bem* ruim! Um dia você vai entender...

— Tá falando que ela vai levar um fora? — Mi perguntou com uma risada.

— Aiii, claro que não! Não é isso!

— Tô zoando, Dani, todo mundo leva um fora um dia; é normal. Ainda bem que você não gostava dele! — disse Mi.

— Deixe o Diego pra lá; ele não sabe o mulherão que perdeu! — Tati tentou animar a amiga.

— Tudo bem. Eu sei que vou achar um muito mais bonito.

— Ah, isso sem dúvida — disse Mi —, ele era horrível!

O sinal soou e as amigas entraram na sala. As aulas mais chatas eram sempre as que mais demoravam para passar. Tati viu que Dani dormia e sentiu vontade de fazer o mesmo, porque aquela era a única aula que não fazia nenhuma questão de assistir; preferia dormir e sonhar com Rafa.

— Gêmea, o que você foi falar com a Tasse aqui na sala na hora do intervalo? — Mi cochichou para a amiga.

— Ih, uma longa história, depois conto...

— Tá com segredinho com ela agora?

— Calma, Mi, vou contar!

— Não precisa, é que fazia muito tempo que você não conversava com ela, aí estranhei. Você tem todo o direito de querer ser amiga dela. — Mi falava a verdade; apesar de não gostar de

Bruna, nunca impediria Tati de ser sua amiga. Apenas se preocupava, porque julgava Tati muito inocente, enquanto achava a outra uma fingida.

— Não quero ser amiga dela. É que ontem ela veio me perguntar se você gostava do Leo e eu fui super grossa com ela, porque me irritei com a causa da implicância delas na aula de Educação Física, sabe? Aí fiquei com remorso e pedi desculpas pra ela hoje. Não é culpa dela se ela gosta do Leo e ele gosta de você.

— Ela não gosta do Leo — murmurou Mi, copiando a lição da lousa.

— Gosta sim.

— Não gosta não.

— Ela me disse, Mi.

— Então ela mentiu.

Tati não conseguia entender. Havia achado Bruna muito sincera quando conversaram, inclusive se sentira muito bem após contar para ela sobre seus sentimentos.

— Ela não parecia estar mentindo...

— Mas tava, pode confiar.

— Então por que ela ficou perguntando de vocês dois? Perguntou até há quanto tempo vocês estavam ficando!

— Porque é uma intrometida!

— Mas eu a vi várias vezes olhando pro Leo, Mi!

— Não era pra ele.

— Não?

— Não!

— Era pra quem?

Mi parou de escrever e olhou para Tati:

— Quem tá sempre do lado do Leo?

O coração de Tati gelou. Era o Rafa. O *Rafa* estava sempre do lado do Leo.

— O... Rafa? — Tati torceu para Mi estar errada.

— Exatamente.

Tati sentiu sua boca secar. Bruna estava apaixonada pelo Rafa e não por Leo? Bruna? A mesma menina para quem havia acabado de revelar seu segredo? Não, não podia ser. Tinha entendido errado.

— A Bruna gosta do Rafa? — Tati ficou muito apreensiva.

— Gosta.

— *Do Rafa?* — repetiu incrédula.

— É, do Rafa!

Agora o coração de Tati havia acelerado; sentia-o pulando em seu peito.

— A Bruna?

— É, Tati, você tá bem? Já repeti isso mil vezes.

Não estava bem; estava perplexa. Não conseguia acreditar no que a amiga lhe contava.

— Eu sempre achei que ela gostava do Leo — balbuciou, lembrando todas as vezes em que vira Bruna olhando para os meninos.

— Eu também achava que ela gostava dele, mas ontem o Leo me contou que ela conversa com o Rafa todos os dias na internet. Parece que ela não larga do pé dele e, inclusive, o convidou para ir ao cinema, para saírem de casal, ela e o Rafa, o Leo e a prima dela.

A história estava cada vez pior. Sentia-se zonza.

— E... ele foi?

— Até parece, ele não gosta dela! O Leo me contou isso hoje enquanto você tava com ela aqui na sala na hora do intervalo. Ia contar pra você, mas aí a Dani falou do Diego e acabei nem falando nada.

Tati arregalou os olhos; Mi havia ficado sabendo disso bem na hora em que ela contava seu segredo para a ex-amiga nada sincera!

— Entendi — foi tudo o que conseguiu dizer.

— Hoje à noite o Leo vai me contar melhor. Aí depois conto pra você!

— Tá.

Reprisava em sua mente os momentos de sua conversa com Bruna. Em nenhum momento pensara que ela a estivesse enganando.

— Você disse que o Leo vai contar tudo para você à noite?

— É, pois é. Quem manda passar o número do celular — Mi disse, dando risada. — Brincadeira; eu falei pra ele me ligar e contar melhor. Fiquei super curiosa! Quero saber como a Tasse levou o fora quando convidou o Rafa pra sair!

— Vocês duas! Vamos prestar atenção na aula. — O professor de espanhol parecia bravo. As duas pararam de conversar.

A cabeça de Tati fervia com tantas coisas em que pensar. Talvez Mi tivesse se enganado e Bruna não gostasse de Rafa, podia ter entendido errado o que Leo havia lhe contado. Lembrava claramente dela lhe contando que gostava de Leo. Pensou na conversa que tivera com ela. Não, não lembrava. Em momento algum Bruna havia falado que gostava dele. Apenas a ouviu dizer que sabia de seus sentimentos por ele e ficou quieta. A ex-amiga não havia falado nada! Ou será que havia e Tati estava confusa por causa do que Mi tinha acabado de lhe contar? Não conseguia mais recordar se Bruna havia lhe falado ou não se gostava dele. Mi devia ter entendido errado, claramente Bruna gostava do Leo. Não, claramente havia sido enganada e tinha revelado o seu segredo para a pessoa errada. Estava confusa demais para pensar. Precisava perguntar mais uma vez:

— Mi... Você tem certeza de que ela gosta do Rafa?

— Absoluta, por quê?

O professor chamou a atenção delas mais uma vez.

"Porque eu estou ferrada", pensou Tati.

Capítulo 14

Quem está mentindo?

S ua cabeça doía, como podia ter confiado em Bruna? A menina nem era próxima e havia confidenciado a ela algo que não contara nem para as melhores amigas. Não podia acreditar que isso estava acontecendo. Como podia ter sido tão burra?

O sinal da hora da saída havia tocado e Tati estava esperando o pai chegar para buscá-la. Viu Bruna indo embora e resolveu correr até ela. Precisava saber se realmente era verdade que ela gostava de Rafa e o que faria agora que sabia seu segredo. Estava aflita e queria uma explicação.

— Bruna, espere!

— Oi, Tati. — Bruna parou de andar e tirou os fones de ouvido. — Tudo bem?

— É verdade que você gosta do Rafa? — contou de uma vez.

— O quê? Eu contei hoje que gosto do Leo.

— Eu sei. — Mas Tati não estava certa de que ela falara isso. — Só que a Mi acabou de me dizer que você gosta do Rafa. Por que você mentiu pra mim?

— Eu não falo com a Milena há meses!

— O Leo contou pra ela. — Tati perguntou-se se devia ter contado esse detalhe.

— O Leo contou pra Mi que eu gosto do Rafa, OK. Primeiro, é óbvio que o Leo falou isso pra ela porque a Milena devia estar com ciúmes e inventou isso pra me tirar da jogada. Segundo, como o Leo saberia que eu gosto do Rafa?

— O Rafa contou pra ele. — Falava rápido, muito agitada. — Ele disse que você convidou o Rafa pra ir ao cinema, pra sair de casal, você e ele, e a sua prima e o Leo.

— Não! Eu convidei o Rafa pra sair com a minha prima, assim o Leo saía comigo. Até parece que eu ia convidar o Rafa diretamente se eu gostasse dele. — Bruna refletiu um pouco. — Será que ele entendeu errado?

— Você tá falando que o Rafa se confundiu com o seu convite?

— Pelo que você tá falando, sim! Não acredito que ele entendeu que eu fiz o convite para *ele*! Que vergonha!

— Você tá querendo dizer que o Rafa achou que você o chamou pra sair e contou pro Leo que você gostava dele? Não, espera, você tá me enrolando! Eu sei que você fica puxando assunto com o Rafa na internet!

— É claro que eu fico. Eu gosto do melhor amigo dele. Pensei que se o Rafa me achasse legal, eu teria mais chance com o Leo.

— Você fala com o Rafa pra ele achar você legal e assim atrair a atenção do Leo?

Não entendia a lógica dela. Isso nunca daria certo! Pensou um pouco. Sua técnica para fazer Rafa se interessar por ela era desenhar bem, o que também não fazia sentido, mas era a única forma como conseguia agir. Talvez Bruna conversar com Rafa — na esperança de que ele falasse bem dela para o Leo — fosse a única coisa que a ex-amiga conseguia fazer também.

— Olhe, eu sei que isso é idiota — falou Bruna. — Mas isso era a única coisa em que pude pensar, porque, se você não percebeu, o Leo não tá nem aí pra mim.

Tati sentiu pena dela, pois sabia bem como era ruim o menino de que gostava não se importar com sua existência.

— Desculpa a confusão — murmurou Bruna. — Talvez o Rafa não tenha entendido nada errado. Quem sabe, o Leo mentiu pra Milena não achar que existe alguma coisa entre mim e ele. Você sabe como são os garotos.

Não, Tati não sabia como eram os garotos e se sentia ainda mais confusa a respeito daquela história toda. Estava muito arrependida de ter contado seu segredo para Bruna.

— Se você gostasse mesmo do Rafa, você não me diria, né?

— Tati… eu juro pra você que eu não gosto dele. Ele é super legal… mas eu gosto do Leo desde o começo do ano. Pode confirmar com a Dani, eu contei pra ela na época em que nós éramos amigas.

— Eu sei, por isso eu tinha certeza de que você gostava dele. Mas agora não sei mais o que pensar.

— Eu também não sei o que pensar. Já sou obrigada a ver o menino de que gosto todos os dias babando pela menina que eu mais detesto na escola. E o pior de tudo é que eu tenho quase certeza de que ela não gosta dele!

— Olhe, não fala da Milena comigo. Ela é minha melhor amiga.

— Eu sei. Não vou falar mal dela. Só quero que você saiba que eu fico mal todos os dias por causa disso e agora eu tenho mais motivos: o Leo inventa histórias sobre mim e você me acha mentirosa. Você tinha razão na aula de Educação Física; eu não tenho a mínima chance com ele.

Tati suspirou. Bruna parecia sincera.

— Eu vou pra casa. Meu pai chegou.

— Tá bom, a gente se fala amanhã. Desculpa por tudo, sei como você deve estar se sentindo. Eu prometo pra você que não gosto dele.

— Tudo bem, vou indo.

— Tati, por favor, não comente com ninguém que eu gosto do Leo. Também não vou contar nada sobre o Rafa.

— Combinado.

Tati ficou muito confusa. Não sabia em quem acreditar: achava possível Leo ter tentado enrolar Mi, mas também achava possível Bruna ter tentado enrolá-la. A história dela parecia verdadeira. Falava com o melhor amigo do menino que gostava para chamar a atenção dele, tentara marcar uma saída de casal com o amigo, por falta de coragem de convidar o garoto de que estava a fim e todos os dias sofria porque esse garoto não estava nem aí para ela. Fazia sentido, porém, Mi parecia ter muita certeza ao falar que ela gostava de Rafa e não de Leo. Muitas coisas se passavam em sua cabeça, mas não chegava a nenhuma conclusão sobre quem falava a verdade: Leo ou Bruna?

Estava muito arrependida de ter revelado a Bruna o que sentia por Rafa. Não sabia o que tinha dado nela na hora. Havia sido estúpida. Como não sabia em quem acreditar, ligou para Mi para contar o que Bruna havia lhe falado:

— Não, impossível! Ele não mentiria pra mim. Além do mais, eu teria ciúme de quê? O Leo nem fala com ela! — Mi falava rápido.

— Não sei... o que ela me disse que pode ter acontecido também é que o Rafa pode ter entendido errado o convite pro cinema.

— Como assim?

— A Bruna me disse que ela convidou o Rafa pra ir com a prima dela, assim ela iria com o Leo. Ela disse que o Rafa pode ter se confundido e entendeu que ela fez o convite para ir com *ele*.

— Entendi... bom, não sei. O Leo me disse que ela conversa sempre com o Rafa pela internet... que ela fica no pé mesmo... Mas, afinal, por que você foi perguntar isso pra Tasse?

Tati gelou. Não queria mentir para a amiga, mas não queria contar por telefone que estava apaixonada por Rafa; preferia fazer isso pessoalmente. Decidiu que falaria apenas uma parte da verdade:

— Fiquei brava e quis saber se ela mentiu ou não sobre a história do Leo.

— Mas é isso que ela faz, Gêmea, ela mente! O tempo todo! Sempre fica inventando histórias...

Tati ponderou. Era verdade. Bruna sempre mentia quando contava algo que lhe acontecera, mas só fazia isso quando se tratava de se mostrar; não inventava coisas das outras pessoas. Gostava de chamar atenção, isso sim. Tati sempre tivera a impressão de que Bruna inventava as coisas por ser carente e querer ter a atenção das pessoas voltada para ela, mas não julgava a ex-amiga maldosa.

— Então... você acha que ela mentiu pra mim de novo quando fui perguntar pra ela?

— Espero, porque se o Leo mentiu pra mim, ele pode me esquecer, porque não vou mais querer ser amiga dele.

Tati esperava que fosse mentira do Leo, mas não queria que a amiga se magoasse.

— Você vai ficar muito chateada se descobrir que ele mentiu?

— Vou ficar muito brava, isso sim! Mas também fiquei na dúvida de quem está mentindo com tudo isso que você me contou... Eu já tive certeza de que a Bruna gostava do Leo, depois que ela gostava do Rafa e agora não sei nem se ela gosta de alguém.

Tati pensou que seria ótimo se ela não gostasse de ninguém mesmo, assim o assunto não daria mais confusão.

— Eu também não sei quem está mentindo.

— Vou ligar pro Leo e conversar sério com ele, e assim que souber, ligo pra você!

— Tá bom, Gêmea, obrigada!

Tati estava torcendo para que fosse mentira de Leo. A amiga ficaria chateada, mas tinha outros pretendentes, e, além do mais, Mi sempre fazia questão de dizer que não ficaria com ele. Era horrível torcer para o menino ter mentido para Mi, mas essa opção era melhor do que ser verdade que Bruna gostava de Rafa e que Tati confiara seu segredo justamente a ela.

Também não parava de pensar se Bruna faria alguma coisa caso fosse verdade. O que ela poderia fazer? Espalhar uma grande fofoca que a envergonharia muito e todos ririam dela? Seria terrível, mas não o fim do mundo. Seria o fim do mundo se Rafa soubesse e a ignorasse ainda mais. Apesar de ele ser um cara legal, não sabia qual seria sua reação se soubesse dos sentimentos de Tati por ele. Pensou que o melhor a fazer seria no dia seguinte contar para Mi e Dani que estava apaixonada por Rafa e que havia contado para Bruna. Mi ficaria chateada, mas faria de tudo para ajudá-la e sabia que, ao vê-la tão aflita, não iria se magoar por ter contado primeiro para Bruna e não brigaria com ela. As duas entenderiam a situação e teriam alguma ideia do que ela poderia fazer para resolver o problema.

Tati já sentia dor de cabeça de tanto pensar em mil possibilidades sobre o que aconteceria se Bruna gostasse de Rafa e não de Leo. Existia a chance de Leo mentir para Mi quando se falassem ao telefone, dizendo que a história de Bruna não era verdadeira. Não tinha como saber quem falava a verdade. Pensou que

Leo não se entregaria facilmente se estivesse mentindo; a sorte é que a amiga era muito insistente e tinha dúvidas também. Estava muito preocupada. Resolveu ligar para Dani e perguntar o que ela achava de toda essa confusão.

— Eu me lembro dela falando que ficaria com o Leo e que o achava muito bonito, então sempre achei que ela gostava dele e que esse fosse um dos motivos pra ela não gostar da Mi.

— Pois é, eu também...

— Se bem que ela falou isso antes de o Rafa entrar na escola.

Tati bufou. Era verdade. Também se lembrava de Bruna falando sobre Leo antes de Rafa estar na escola.

— Então... você acha que ela gosta do Rafa?

— Não sei... Acho que ela não teria motivo pra mentir pra você.

Teria. Dani achava que não havia razão para a mentira porque tinha omitido o pedaço da história em que estava apaixonada por Rafa e que Bruna sabia disso por burrice sua.

— Vamos supor que ela tivesse motivo... o que você acha? Liguei porque a Mi não gosta da Bruna, então seria natural ela dizer que a Bruna mentiu... Mas você não guarda rancor dela, né?

— Não... eu não gosto muito dela também, mas não acho que ela é tão má assim. Na verdade, acho que o Leo pode ter mentido sim pra Mi, porque tem menino que faz isso. Ele pode ter achado melhor falar que ela gostava do amigo em vez dele. A Mi é ciumenta, já o enrola. Talvez ele tenha achado que isso seria uma solução e que ela ficaria com ele, finalmente.

— Acho que a Bruna gostar do Leo não impediria a Mi de ficar com ele; acho que ela só não fica porque não quer mesmo — disse Tati. — Mas eu já percebi que o Leo evita falar com a Bruna quando a Mi tá perto.

— Verdade, já percebi isso também!

—A Bruna me disse também que o Rafa pode ter se confundido quando ela o chamou pra sair com a prima dela.

— É... pode ser também.

— Então... você acredita mais em qual história?

— Na que a Bruna gosta do Leo, nunca nem a vi olhando pro Rafa!

Tati se sentiu mais aliviada e torceu para Dani estar certa.

—A Mi vai tentar descobrir com o Leo, amanhã conto qual história é verdadeira.

—Tá bom, amiga, beijos!

Estando um pouco menos nervosa depois de conversar com Dani, esperaria Mi ligar contando se havia descoberto alguma coisa ou não. Sua cabeça estava cheia e ainda eram três da tarde. O dia seria longo, pois Mi tinha aula de teclado à tarde e só conseguiria conversar com Leo à noite. Teria de esperar para saber quem estava mentindo e isso a deixava louca.

Capítulo 15

RAFA

Balde de água fria

Decidiu desenhar um pouco para se distrair, pois passara a tarde inteira pensando na confusão em que havia se metido. Abriu a mochila e pegou a pasta de desenhos. Já tinha os olhos prontos em aquarela. Viu outro rascunho dobrado na mochila e jogou na mesa de cabeceira com os demais. Desenhava tanto que nem se lembrava daquele, mas imaginou que as folhas sulfites dobradas deviam ser os piores desenhos. Veria depois para decidir o que jogaria fora.

Sentou-se para desenhar mais um pouco, sem parar de olhar para seu celular, na esperança de que tocasse. Pensou em Bruna, no quanto a ex-amiga parecera muito sincera com ela. Além disso, não conhecia muito bem o Leo para julgar se ele era capaz de mentir ou não para Mi. Sua versão preferida da história era que Rafa havia se confundido e que Bruna tivesse agitado o encontro entre ele e sua prima, não entre os dois. Assim ninguém estaria mentindo, Mi continuaria sendo amiga de Leo e ela não sentiria mais a insegurança que estava sentindo; todo esse medo não a deixava raciocinar. Torcia para que essa fosse a versão verdadeira, esperava que Rafa tivesse entendido errado o convite e que a confusão toda fosse resolvida.

No dia seguinte, convidaria Mi e Dani para almoçar em sua casa e contaria que estava apaixonada por Rafa, porque não aguentava mais carregar esse segredo sozinha, e tinha se sentido muito bem em compartilhá-lo com Bruna, que nem ao menos era sua amiga. Com certeza se sentiria mil vezes melhor contando para as duas melhores amigas. Imaginava qual seria a reação delas. Mi iria pirar e querer saber todos os detalhes, enquanto Dani teria várias ideias para juntar os dois. Seria uma conversa divertida e mal esperava chegar com as amigas em sua casa para contar sobre seus sentimentos. Não sabia mais por que escondera isso das amigas por tanto tempo. Sentiu-se boba.

Tati deu um pulo e levantou da cama, pois seu celular havia tocado.

— Oi, Mi, tudo bem? E aí, falou com ele? — Tati estava ansiosa.

— Desde quando você gosta do Rafa? — Mi estava com a voz bem séria.

Tati estranhou a pergunta.

— Como assim? Como você sabe?

— Então é verdade? Como eu não percebi isso? E por que você não me contou? Você não confia em mim? Eu devo ser a pior amiga do mundo, e olhe que eu achava que era a melhor!

— Calma, Mi! É claro que confio em você! Não contei nada porque isso é muito diferente pra mim; eu nunca tinha gostado de ninguém antes. Sei que devia ter contado, mas é que eu não sabia como agir... Eu ia contar pra você amanhã!

— Ah, tá, sei. — Mi estava brava e chateada.

— Juro!

— Tá, tá bom. Agora me diz uma coisa: desde quando você confia na Bruna? Por que você falou pra ela e não pra mim? Eu que sou sua amiga!

— Ela me viu tirando uma foto dele na aula de Educação Física, aí eu fiquei nervosa e fui super grossa com ela, mas depois eu me arrependi e fui pedir desculpas. A gente tava conversando e eu acabei contando para ela. Por isso que eu queria saber se era verdade mesmo que ela gostava do Rafa. Eu não devia ter contado nada pra ela.

— É, não devia.

Tati respondia tudo tão rápido para Mi que não havia se dado conta de que a amiga já estava sabendo de tudo o que ela contaria no dia seguinte. Parou e refletiu um pouco. Falando apenas com Leo ela não saberia que Bruna estava ciente do seu segredo. Pensando melhor, não saberia nem que ela estava apaixonada por Rafa. Como havia descoberto? Será que havia ligado para Bruna também?

— Mas como você descobriu que eu gosto dele? Você falou com a Bruna? Você quis tirar a história a limpo com ela e não com o Leo?

— Ah, tá. Deus me livre falar com aquela lá.

Realmente, não conseguia imaginá-la ligando para Bruna para falar de assunto nenhum. A pergunta ainda estava no ar: como sua melhor amiga sabia disso tudo?

— Então você descobriu sozinha?

— Não, porque aparentemente eu sou uma péssima amiga e nem percebo quando a minha melhor amiga tá apaixonada. — Mi era um pouco exagerada, às vezes.

— Ah, claro que não! Você é uma ótima amiga! Eu só tentei disfarçar o máximo possível, eu não sabia… — Não completou a frase, a amiga ainda não respondera sua pergunta. — Mi, me fala, se você não percebeu nada, como sabe que eu gosto dele?

— Porque o Leo me contou. — Mi soou receosa.

— Ué, e como ele sabe?

De todas as respostas que Mi poderia ter dado, aquela era a única que não tinha passado por sua cabeça. Leo havia contado para ela? Como ele podia saber de quem ela gostava? Quase não conversava com ele e tinha certeza de que ele não era o tipo de menino que perceberia algo assim sozinho. Como a amiga não respondeu sua pergunta, resolveu falar outra vez:

— Como o Leo sabe, Mi?

— Olhe, Tati, não fique nervosa...

— Eu não estou nervosa; só não estou entendendo nada!

— Eu sei, é que é difícil ter que falar isso.

— Falar o quê?

— Ahn, olhe... Tudo isso que est...

— Pare de enrolar, Mi, e responde logo. Como o Leo sabe?

Já estava ficando irritada; não conseguia entender nada. Não gostava quando a amiga enrolava assim. Já que havia começado a falar, precisava terminar. Pensou um pouco, e se ele soubesse porque Bruna havia fofocado para ele com intuito de chamar sua atenção? Ele era muito próximo de Rafa; intimaria a amiga a obrigá-lo a nunca contar seu segredo para o melhor amigo.

— Mi, desculpe, não quero brigar com você. Mas estou ficando angustiada já. Me fale, como o Leo sabe que eu gosto do Rafa? A Bruna contou pra ele?

— Não.

Ficou aliviada, não sabia o quanto Mi conseguiria influenciar Leo a guardar seu segredo.

— A Bruna contou... pro Rafa!

Tati sentiu como se um balde de água fria tivesse sido jogado em sua cabeça e cada pedaço do seu corpo congelasse conforme a água caía. Cada membro de seu corpo parecia petrificado. A água parecia tão fria que mal conseguia sentir o corpo e pensar. Era impossível se mexer e falar. Congelara, em choque.

— Tati? Tati, tá aí? — Mi ficou agitada. — RESPONDA!

Queria abrir a boca e responder, mas estava tão aterrorizada que não conseguia.

— A idiota da Bruna contou pra ele na saída da escola. Parece que o Rafa tinha ficado até mais tarde terminando uma lição. O Leo acabou de me contar, porque ouviu tudo. Ficou o dia todo me enviando mensagens falando que precisava falar comigo, mas eu não vi porque estava na aula.

Aos poucos Tati foi recuperando seus movimentos, sentindo-se menos petrificada. Mesmo assim, não conseguia pensar direito, e falou fracamente:

— Ela contou pro... Rafa?

— É, na saída da escola.

Descongelou totalmente e sentiu seu corpo infestar-se com uma grande energia.

— E POR QUE ELA FEZ ISSO? – berrou Tati.

— Porque é uma *vaca*!

— Eu não acredito! E agora? O que eu faço? O que o Rafa disse? Ai, meu Deus, que vergonha!

Agora que o choque inicial havia passado, sentia-se desesperada e aflita. Nunca havia se sentido tão nervosa assim. Não queria acreditar que *ele* sabia de seu segredo.

— Eu não sei o que o Rafa disse. O Leo escutou meio por cima.

Sentiu-se zonza, e seus olhos se encheram de lágrimas; mais uma vez desejou ter uma máquina do tempo para voltar na hora do intervalo e não contar para Bruna o que sentia por Rafa.

— E agora, o que eu faço?

— Eu... eu não sei. A Bruna é uma idiota! — Mi foi enfática.

— Ele sabe! E agora? Não acredito! Vou morrer de vergonha amanhã!

— Tati, agora já foi. Não precisa ficar assim, se acalma! Eu vou falar pro Leo amanhã que é mentira, que ela inventou isso e todo mundo vai rir de tudo. Pode ser?

Claro que podia, não queria que Rafa soubesse o que sentia por ele de jeito nenhum!

— Tá... — Tati segurou o choro.

— Vai ficar tudo bem, Gêmea, prometo. Amanhã a gente conversa melhor e pensa no que faz com a Bruna, porque ela merece uma lição!

— Eu sei que merece, mas não quero pensar nisso agora. Eu só quero que você desminta tudo pro Rafa, tá bom?

— Vou desmentir! E fica tranquila, a gente arma alguma coisa escondido, sei lá. Ela não vai sair dessa sem receber as consequências. Não deixo; não é justo. Ela fez isso por maldade! Amanhã a gente conta pra Dani e pensamos juntas.

— Como eu fui tão burra assim? Ela tinha prometido que não ia contar! Como eu acreditei nela?

— Gêmea, fica calma... o Rafa é legal, ele não vai falar nada ruim pra você... Você não devia ter contado, mas contou, agora não dá pra voltar atrás.

— Eu sei... — Tati queria se afundar no chão. — Obrigada por me contar. Seria pior se eu não soubesse de nada. Amanhã a gente conta tudo pra Dani.

— Tá bom, Tati, fique bem, tá? Qualquer coisa me ligue! E não se preocupe, que vai ficar tudo bem amanhã.

Tati desligou o telefone e sentou-se em sua cama. Nunca havia sentido algo assim antes. Não sabia descrever o que era, mas sentiu seu coração doer e seu rosto se molhar cada vez mais. Estava difícil respirar e se mover. Queria sumir.

Capítulo 16

Surtando

— Filha, você nem tocou na comida — disse a mãe de Tati durante o jantar.

— Não tô com fome — Tati respondeu baixo, encarando o prato.

— Como foi a escola hoje, filha? — perguntou o pai.

Horrível, pensou.

— Normal.

— O quê você fez hoje? — perguntou a mãe.

— O de sempre.

— E como tá o trabalho de artes? — perguntou o pai.

Tati se sentia farta. Por que a enchiam com tantas perguntas? Não queria falar, não queria comer, não queria ver ninguém. Não queria nada, só que tudo o que estava acontecendo fosse mentira. Queria muito que fosse um pesadelo e que acordasse assustada. As perguntas dos pais só pioravam seu estado, pois não queria pensar na escola. O medo de ir para a aula no dia seguinte a corroeu por dentro. Sentia raiva, nervosismo e tristeza; tudo o que os pais falavam para ela contribuía para todas essas emoções crescerem.

— Tati, responda ao seu pai — disse a mãe.

— Não fiz nada na escola.

— Nossa, Tati, mas o que que deu em você hoje? — perguntou o pai.

— Aconteceu alguma coisa, filha? — insistiu a mãe.

Tati sentiu suas emoções transbordarem. Levantou-se da mesa rápido e gritou:

— Não aconteceu nada! E mesmo que tivesse acontecido, vocês não iam saber, porque não sabem NADA de mim e NADA da minha vida!

Subiu as escadas correndo e chorando. Nunca havia gritado com os pais antes. Estava descontrolada.

— Espere aí, mocinha! — ouviu o pai dizer da escada.

Trancou a porta do quarto e sentou-se no chão, chorando. Não devia ter falado assim com eles. Eles não mereciam, não tinham culpa de nada.

— Tati, abra pra gente! — pediu a mãe, batendo na porta.

— O que tá acontecendo, filha? — o pai soou preocupado.

— Não é nada — respondeu, chorando.

— Como nada, filha? — disse a mãe. — Por que você tá chorando?

— Eu quero ficar sozinha! — disse, levantando-se do chão. Até pensou em destrancar a porta, mas logo desistiu da ideia. — Eu só tô muito cansada e quero dormir — disfarçou enxugando as lágrimas.

— Tem certeza de que não quer conversar? — perguntou o pai.

— Tenho.

— Então descanse, filha. Amanhã conversamos. Nós amamos você. Boa noite!

Tati ouviu os passos dos pais se afastarem. Deitou-se em sua cama e abraçou o travesseiro. Sentia um buraco no peito, uma dor de cabeça e um cansaço enorme. Como pôde ter confiado em Bruna? Arrependeu-se de todas as vezes em que sentira pena dela; a menina não era uma coitada ignorada pelos pais, como pensava, era má. Fazia tudo de propósito para deixar as pessoas mal. Nunca devia ter sentido pena, porque ela não merecia! Era mentirosa, falsa e fria. Não deveria de jeito nenhum ter revelado seus sentimentos. Era uma cobra. Mi sempre estivera certa a respeito dela: Bruna era insuportável e horrível, não só de aparência, mas uma pessoa horrível que não pensava nem um pouco nos outros. Era egoísta e maldosa. Sentiu-se burra por ter contado seu segredo. Não havia nem contado para as melhores amigas por não estar preparada, por que tinha falado para ela? Não conseguia entender o motivo de ter sido estúpida.

Sentia-se traída.

Estava com muita raiva, uma raiva que nunca havia sentido antes. Devia ter ficado quieta e ignorado Bruna. Nunca deveria ter pedido desculpas a ela. A ex-amiga merecia toda a grosseria que lhe falara, sendo uma pessoa detestável.

Pensou em Rafa.

Agora ele sabia. Não conseguia imaginar o que estaria pensando. Será que ele lhe falaria algo no dia seguinte? Não. Essa era a última coisa que queria que acontecesse. Não queria ouvir a opinião dele, não queria olhar para ele, não queria gostar dele! Não queria que nada disso estivesse acontecendo. Parecia que em um segundo sua vida havia virado de cabeça para baixo. Ele sabia... *o menino dos seus sonhos, que a inspirava e nunca olhava pra ela*. Sentia o coração doer, e também vergonha, muita vergonha. Secou as lágrimas do rosto.

Pegou o celular para ver a foto de Rafa. Ele ficava lindo de regata. Tão lindo que não conseguira resistir e tirara uma foto dele. Encarou a foto. *Ela* era a culpada. Se não fosse por causa da foto que tirou, ninguém saberia que estava apaixonada, muito menos Rafa.

Rafa.

Não queria pensar em seu nome nem em seu rosto. Não queria ver sua foto. Iria excluí-la. Devia ter segurado a vontade de tirá-la. Por conta daquela imagem, sentia-se maluca, culpando tudo e todos. Até mesmo uma simples foto. Deixou o celular de lado sem apagar nada. A culpa não era de uma foto tirada inconsequentemente. A culpa era sua, por ter se apaixonado e não saber o que fazer com o que sentia.

Queria faltar à escola no dia seguinte. Não poderia encarar Rafa e nem olhar para Bruna. Sentia tanta raiva da imbecil que havia mentido descaradamente para ela. Claro que Bruna estava apaixonada por Rafa, e a ridícula conseguira manipulá-la até Tati revelar seu segredo. Como pudera achar que Leo mentiria para Mi? Tinha até torcido para o menino ter realmente mentido para a amiga. Sentiu-se horrível. Torceu para que Mi tivesse sido enganada e não ela. O que estava acontecendo? Não era essa pessoa horrível que torcia contra a melhor amiga. Onde aquela situação a estava levando? Tudo parecia errado e fora do lugar. E não, nada daquilo era um pesadelo, mas a realidade. Infelizmente, não acordaria assustada e descobriria que tudo isso se tratava de uma ilusão.

Seu celular vibrou, com uma mensagem de Mi:

> Eu sei que você deve estar muito mal, quase surtando. Mas esse sentimento ruim vai passar, mesmo que demore um pouco. Um dia, isso que você tá sentindo vai desaparecer, e enquanto isso não acontece, estou aqui para tudo. Te amo, Gêmea.

Os olhos de Tati se encheram de lágrimas ao ler a mensagem da melhor amiga. Mi sempre a confortava, a fazia se sentir melhor, a divertia e dava broncas quando precisava, e o mais importante, estava sempre ao seu lado, não importava o que acontecesse. Sua Gêmea sempre a apoiaria. Sentiu o aperto no peito diminuir. Ficou grata por ter Mi em sua vida, sabendo que Dani também faria tudo para ajudá-la; não existia tempo ruim para ela, não importava o que acontecesse, e sempre tinha ótimas ideias para resolver problemas. Tinha as melhores e mais perfeitas amigas do mundo!

Sentiu a dor no peito voltar. Por que não contara nada para elas? Por que guardara esse segredo das pessoas que sempre estavam lá por ela? Era uma anta mesmo, e merecia tudo o que estava acontecendo. Primeiro mentiu para as amigas e confiou na pior pessoa possível, depois torceu para a amiga ter sido enganada, e ainda gritou com os pais. Sentiu a dor em seu peito se transformar em raiva. Raiva de si mesma. Uma raiva tão grande que a fez se sentir quente. A culpa toda era sua. Tomou todas as decisões erradas desde o começo, quando havia decidido omitir de Mi e Dani que estava apaixonada. Escolheu confiar em Bruna; a menina não a tinha obrigado a nada. Havia descontado toda sua raiva em seus pais, que eram ótimos com ela e se esforçavam o máximo possível para lhe dar tudo de que precisava, sempre presentes em sua vida.

Lembrou-se da aula de Educação Física. *Ela* havia escolhido tirar uma foto de Rafa no meio da quadra, sem nem ver se tinha alguém por perto. Não havia acertado em nada! Olhou para a foto de Rafa no celular outra vez. Por causa da foto, havia começado toda essa confusão. Por causa de sua escolha, estava provando as piores sensações do mundo, que nunca experimentara antes, mas que se recusavam a deixá-la.

Chorava tanto que estava difícil respirar. A raiva aumentava e deixava todo seu corpo e cabeça fervendo. Não estava aguentando a pressão. Sentia tanto calor, que podia explodir. Não iria suportar. Deu um grito, jogando o celular contra a parede. Essa era a pior noite de sua vida e não importava quanto tempo rolasse na cama, não conseguiria dormir.

Capítulo 17

Fofoca no banheiro

Muito perto, os olhos castanhos olhavam-na fixamente. Rafa aproximou-se ainda mais; agora estavam tão perto um do outro que ela sentia sua respiração. Sentia o carinho dele em seu rosto. Era tão gostoso sentir a mão de Rafa sobre sua pele... Seus lindos olhos se fecharam. Ele entreabriu os lábios, encostando-os nos dela. Fez o mesmo que ele. Sentia os lábios dele abrindo mais, comemorando que finalmente o beijaria. Nunca havia estado tão perto. Iria beijá-lo e saberia como era o gosto de um beijo, do beijo dele, o menino dos seus sonh...

Tati acordou num susto. Obviamente tudo se tratava apenas de um sonho. Um sonho que nunca se realizaria. Sentiu-se triste. Sempre parecia tão real; quase conseguia sentir Rafa tocando-a como se tudo estivesse acontecendo de verdade. Por que seu sonho não podia virar realidade? Suspirou. A realidade não era um sonho, mas um pesadelo horrível. Não conseguia se levantar da cama. Não dormira nada a noite inteira. Estava um caco, exausta e provavelmente com a pior cara possível. Sentia seu coração apertado. Se a vida pudesse ser como nos sonhos, tudo seria bem menos catastrófico e bem mais romântico.

— Eu quero dar um tapa na cara feia dela — Mi cochichava para as amigas na aula de matemática, encarando Bruna.

— Como ela pôde fazer uma coisa dessas? — Dani já havia sido informada dos últimos acontecimentos. — Ela acha o quê? Que ele vai ficar com ela?

— Ela é horrível, até parece que alguém vai querer ficar com ela! — disse Mi irritada.

Tati copiava a lição em silêncio, com os olhos cheios de lágrimas, mas não queria chorar na escola. Precisava controlar tudo o que estava sentindo. Não vira Rafa ainda, mas logo o sinal para o intervalo soaria. Quanto mais a hora passava, mais Tati ficava nervosa; a ideia de encontrar com Rafa lhe dava calafrios.

— Mas eu acho que é melhor não desmentir nada pro Leo, sabia? — disse Dani.

— A Tati não quer que o Rafa saiba que ela gosta dele — disse Mi. — E como ele ficou sabendo, a melhor ideia que tivemos foi desmentir.

— Eu sei, mas querendo ou não, como você mesma disse, ele sabe. Então, por que a gente não se aproveita disso? — Dani parecia ter alguma ideia, e como, das três, ela era a mais experiente com os garotos, isso aguçou a curiosidade de Mi.

— O que você tá pensando?

— E se você falasse para o Leo que é tudo verdade? A gente podia tentar armar um encontro entre a Tati e o Rafa junto com o Leo, isso sim ia deixar a Bruna furiosa! E resolveria o problema da Tati, claro!

— Essa ideia é incrível! É claro que o Rafa vai querer, Tati, porque você é linda, meiga, legal, divertida e inteligente. Sem dúvidas ele vai querer! — Mi se empolgou. — O que você acha? Eu acho que pode dar certo! Que eu saiba, o Rafa não tá ficando com ninguém.

Tati sentia muita vergonha de tudo e, por mais que sonhasse todas as noites que estava prestes a beijar Rafa, não estava pronta para isso, e tudo o que havia acontecido a tinha desencorajado ainda mais. Queria ir embora logo da escola; era sexta-feira e teria o fim de semana todo para ficar bem longe de Rafa e Bruna. Não queria nem olhar pra eles. Pensou que seria um dos piores fins de semana que já tivera e que ficaria trancada no quarto o tempo todo.

— Seria perfeito, Tati, eu também acho que o Rafa não recusaria um encontro com você — disse Dani.

— Vale a pena arriscar, não vale? — insistiu Mi com um tom doce, muito preocupada com a amiga.

— Vocês não acham que se ele falar não, eu vou ficar pior ainda? — respondeu Tati baixo.

— Eu sei, Gêmea, mas se você não falar nada, você nunca vai saber se ele ficaria com você ou não. Eu sei que você não queria que nada disso tivesse acontecido, mas aconteceu... e agora você pode ter a chance de saber o que ele acha sobre isso.

— A gente sabe que você nunca tinha passado por isso antes. É só uma ideia. Se você quiser, a gente pod... — falou Dani.

— Mas eu não quero! Eu não quero saber o que ele acha, eu não queria que ele soubesse o que sinto! — Tati percebeu que fora grossa com as amigas. — Desculpem, eu sei que vocês só querem me ajudar, mas prefiro que a Mi fale pro Leo que é tudo mentira da Bruna, como a gente combinou ontem, tá bom?

— Tá, você que sabe... Tudo vai ficar bem. Eu sei que tá difícil agora, mas vai melhorar — Mi acalmou a amiga.

~135

— A gente tá aqui pra tudo, Tati... a gente te ama! — disse Dani.

Tati sorriu, desanimada, e continuou a escrever no caderno. Não queria ter sido grossa com as amigas, pois as amava muito e sabia muito bem que elas fariam de tudo para ajudá-la. Havia descontado sua raiva nas pessoas erradas de novo. Nunca se sentira tão confusa assim; estava exausta e não conseguia pensar em nada direito. Queria chorar, mas precisava se controlar, porque odiava a ideia de dar mais motivos para as pessoas falarem dela. Como queria voltar no tempo e mudar tudo! Uma lágrima acabou caindo sem querer; secou rápido. Segurar o choro deixava tudo ainda mais difícil.

O sinal tocou. Tati disse para as amigas que queria ficar sozinha. Pretendia se trancar no banheiro. Queria chorar sem ninguém ver. Caminhou muito rápido, pois logo as lágrimas cairiam. Não conseguia mais segurar a vontade de se render ao choro. Apressou o passo para chegar até o banheiro, e acabou esbarrando em alguém:

— Tati, eu quero falar com voc...

Tati se arrepiou quando viu que era Rafa, sentindo seu coração sair pela boca. Continuou andando mais rápido, ainda sem olhar para trás. Entrou no banheiro, trancou-se no box e começou a chorar em silêncio. Não queria ter se apaixonado. Não queria ter contado para Bruna. Não queria que ninguém soubesse que gostava de Rafa. Não queria que nada daquilo estivesse acontecendo. Sua vida se tornara um desastre e não fazia ideia de como as coisas se consertariam. Temia que aquilo que sentia nunca fosse passar. Ouviu a porta do banheiro abrindo, passos em direção a pia e risadas.

— Você viu a cara dela? — Tati podia ouvir Aline falando. — Eu acho que ela tava chorando!

— Nossa, como ela é tonta! Ela é tão estranha que o Rafa custou a acreditar que ela gostava dele — zombou Bruna.

— Que ela é tonta a gente já sabia, acreditou em tudo que você falou! — Bia riu.

— Nossa, nem sei como! Mesmo o Leo contando pra Mi que eu gostava do Rafa, ela continuou acreditando em mim! Ela é muito burra!

— Como ela acreditou em você e não na melhor amiga? Nossa, merece também, né!? — disse Aline.

— Sei lá, ela acreditou em tudo que eu falei! Acho que ela tava certa de que eu gostava do Leo porque eu disse pra Dani no começo do ano que eu achava ele bonito. E eu acho mesmo, mas o Rafa... o Rafa é o Rafa, né? Muito lindo e legal, tô louca pra ficar com ele!

— A gente sabe, Bru! — As três riram.

— E quando eu contei que ela ficava tirando foto dele escondida? Ele arregalou os olhos na hora. Levou um susto! — Bruna gargalhava.

— Credo, que maluca. Eu sempre achei que ela era esquisita, mas não sabia que tanto assim — disse Aline.

— É, parece uma perseguidora! Tirar foto escondida, que horror! Eu ia ficar com medo! — disse Bia. — Essa menina é muito esquisita, que ideia, vigiar alguém e tirar foto. CREDO!

Tati ficou perplexa. As três riam dela! Bruna não estava contente por tê-la enganado e contado seu segredo, precisava falar disso e rir, como se não significasse nada. Como se ela não tivesse sentimentos que estavam feridos. A menina realmente não prestava; era ainda pior do que achava. Como podiam estar falando tão mal dela? Sem a respeitar nem um pouco? Logo ela, que nunca destratava ninguém, que procurava enxergar o lado bom de Bruna, Bia e Aline, apesar de implicarem com suas melhores amigas? Nunca tinha feito nada de mau para ninguém. Aquilo não era justo. Será que merecia mesmo passar por tudo isso como havia pensado na noite anterior? Sentiu o aperto no peito aumentar. Teve vontade de chorar mais ainda e de dar um soco na cara de Bruna. Sentia-se péssima e exausta. O dia estava cada vez pior.

— Vocês tinham que ter visto a cara do Rafa quando eu contei que ela ainda é BV! — Bruna riu. — BV, acreditam?

— Como assim, ela tem quinze anos e nunca beijou ninguém? — disse Bia lavando a mão.

— Sei lá! Ela é meio tonta mesmo! Imagina a teia de aranha que deve ter na boca dela — debochou Bruna. — O Rafa nunca ficaria com ela.

Não! Bruna não estava falando sério! Não tinha contado para Rafa que ela nunca havia beijado! Sentiu um ódio tomá-la e fazê-la tremer de raiva. Sua privacidade havia sido completamente invadida. Tinha vontade de sair do box e falar poucas e boas para Bruna. Como aquela idiota pudera, além de contar para Rafa que Tati gostava dele, revelar que ela nunca havia beijado? Que direito ela tinha de espalhar suas intimidades para as pessoas? Queria xingar Bruna bem alto, mas não conseguia nem se mexer. Estava petrificada. Tudo aquilo era demais para ela. Não falaria nada e ficaria engasgada com isso para sempre. Agora entendia o que Mi sentira ao falar que iria explodir por não ter falado o que pensava na briga que teve com os pais, pois sentia-se exatamente igual.

Queria fazer algo, mas a verdade é que não tinha coragem; nunca havia passado por uma situação parecida antes. Não aguentava mais ouvir nada. Torceu para elas saírem logo do banheiro. Não queria encarar a realidade, ficaria ali escondida o resto do dia, e só sairia depois que todos os alunos tivessem ido embora da escola.

— Nossa, e quando eu falei que ela ficava ligando no celular dele só pra ouvir a voz dele na caixa postal?

— Quê? Ela faz isso? — Aline se surpreendeu.

— Não, mas eu tive que inventar um pouco, né?

Parecia que Tati acabara de levar um chacoalhão. Além de tudo, Bruna inventara coisas a seu respeito! Rafa devia achar que era uma maluca. Sua respiração estava descompassada e seu coração acelerado.

— Ele ficou super assustado quando eu falei isso, claro. Aí terminei dizendo que ela tinha trapaceado no sorteio do trabalho de artes pra cair no mesmo grupo que ele.

Tati abriu a porta do banheiro com um chute. Aquilo era demais, e suficiente para deixá-la descontrolada.

— Quem você pensa que é pra falar da minha vida? — gritou.

Bruna a olhou surpresa, mas logo se recuperou.

— Hum... tá nervosinha? — zoou Bia.

— Você, cale a boca! — Tati sentia o coração disparado e o rosto quente. — Pode ser mesmo que o Rafa nunca fique comigo, mas com certeza ele nunca vai ficar com você! Veja só a sua cara! Acho que você é a menina mais feia que eu conheço. Além de ser uma vaca! Não sei se você tem espelho em casa, mas nada no seu rosto combina, pegaram as partes mais feias que existem no mundo e colocaram na sua cara! Parece que você foi virada do avesso quando nasceu! COITADA! — Tati gritava rápido. — E isso que você fez só mostra o quanto você é fofoqueira e sonsa! Deve ser por isso que nem os seus pais gostam de você! Eu até teria pena, mas como você não presta, me sinto ótima ao saber que ninguém no mundo se importa com você. Nem seus pais! Além disso, você é burra! Muito burra! Vai mal em todas as matérias! Você não tem nenhuma qualidade, *nenhuma*! E mesmo que você fosse linda, o que claramente não é verdade, o Rafa não ficaria com você. Ele é um cara decente! — Bruna estava muda, tão parada que parecia congelada. — E aquele canário que você fez tá um lixo!

Havia expulsado toda a raiva que sentia. Agora podia sair, não se sentia mais um caco. Estava revigorada. Virou-se e foi em direção à porta.

Bruna pegou sua apostila que estava na pia do banheiro e jogou nas costas de Tati com força, espumando de raiva. Tati parou de andar, sentindo o sangue subir, e cerrou os punhos. Daria um soco nela ali mesmo. Tal atitude não era de seu feitio, mas Bruna ultrapassara todos os limites. Não se importava se levaria uma suspensão ou bronca dos pais, não levaria mais esse desaforo para casa. Já tinha guardado muita coisa pra si mesma. Virou-se. Bruna olhava-a fixamente, vermelha de tanta raiva. Bia e Aline estavam perplexas com o que estava acontecendo. Tati ia dar um passo, já preparada para brigar. Pensou melhor. Não deu o passo. Não iria se prejudicar mais ainda por causa daquela menina estúpida, não brigaria com ela, faria algo muito melhor, que a deixaria morrendo de raiva.

Tati deu um meio sorriso e saiu andando para fora do banheiro. Bruna riu de sua covardia.

— Bru, ela vai pra diretoria! — gritou Aline. — Ela vai falar que você jogou a apostila nela!

Bruna congelou. Seus pais eram ausentes, mas muito rígidos, e se levasse uma advertência, com certeza ficaria de castigo por semanas.

— Não vai, não! — Bruna gritou e saiu correndo atrás de Tati.

As amigas de Bruna foram atrás delas correndo.

— PARE! — gritou Bruna.

Tati, ao ver que estava sendo seguida, correu também, passando ao lado de Mi e Dani, sem vê-las.

— Tati, o que f… — Mi viu as meninas correndo atrás dela.

Dani e Mi se olharam sem entender, mas logo pensaram que as meninas iriam bater em Tati, e que esta, fugia. As duas saíram correndo gritando atrás das outras. Defenderiam a amiga de qualquer jeito. Vários alunos pararam o que estavam fazendo para ver a cena.

Tati avistou Rafa, que andava devagar, mexendo no celular. Sem parar para pensar no que estava fazendo, correu para ele e parou em sua frente por um segundo.

— Oi, Tati, eu preciso falar com... — disse ele.

Tati fechou os olhos e o beijou.

Capítulo 18

Eu gosto de você

Não sabia como tinha tido coragem para fazer aquilo. Não tinha ideia de como reunira forças para correr e como conseguira dar um beijo nele, mas tinha feito tudo isso e, pela primeira vez em sua vida, estava beijando alguém. E não era um "alguém" qualquer, era *ele*.

A sensação de beijar uma pessoa era completamente diferente de tudo que já tinha sentido antes: nunca tinha estado tão próxima de alguém, trocando um carinho tão intenso ao mesmo tempo em que sentia a respiração dele e o seu gosto, o que a fez se apaixonar mais ainda por ele. Como era gostoso tê-lo tão perto de si! Seu coração estava acelerado e sabia que sua mão tremia, mas ela não era medrosa; era corajosa. Apesar de não saber muito bem o que tinha dado nela para beijá-lo de surpresa, não se arrependia. Sentia muitos olhares voltados para eles, mas não queria parar. Não sabia se estava fazendo certo, se tinha aberto muito a boca ou não, se mexia a cabeça devagar ou rápido, mas não pararia de beijá-lo.

Mesmo nunca tendo feito isso antes, estava achando muito bom e Rafa parecia gostar também, pois não tinha interrompido o beijo. Sentia-se ótima e, mesmo sabendo que morreria de vergonha depois, estava feliz com sua ousadia.

Beijá-lo estava sendo uma experiência deliciosa! Queria que o beijo durasse uma eternidade. Estava se sentindo ainda melhor do que em seus sonhos, porque quando sonhava, nunca conseguia realmente beijá-lo, acordava sempre segundos antes do beijo acontecer. Felizmente, na vida real não podia ser acordada e interrompida. Conseguira, finalmente, beijar pela primeira vez.

Os dois foram se afastando. Tati sentiu seu corpo tremer mais ainda, porque o lindo momento estava acabando e não queria isso. Não queria ouvir o que Rafa teria a dizer, tinha medo de ele ter odiado o beijo e que desse um belo esporro nela na frente de todos na escola. Seria muito doloroso levar um fora. Pensou em Dani e em como ela se sentiu depois de Diego falar que não queria mais ficar com ela. A amiga superaria isso, claro, mas Tati não tinha certeza de como reagiria. Apesar de não se arrepender de sua escolha, não queria que o momento acabasse, não queria ouvir o que Rafa teria a dizer sobre o que havia feito. Não estava pronta para levar um não. Sempre achou que não estivesse pronta para beijar alguém também, mas se sentia tão feliz com isso que pensou que estava pronta já fazia certo tempo e não percebera. O único ponto ruim de toda a situação seria abrir os olhos e ver a expressão de Rafa. Torceu para ele continuar o beijo, mas isso não aconteceu. Afastaram-se de vez. Sentiu uma pontada no coração. Tinha feito o que bem entendera e agora seria a hora de ouvir o que não queria. Tati abriu os olhos com receio, muito perto dos olhos castanhos, como em seus sonhos. Para sua surpresa, Rafa sorriu para ela.

Tati ouviu Mi e Dani rindo. As duas ficaram muito surpresas e felizes. Quando olhou para Mi, esta lhe fez um sinal de aprovação com a cabeça, sorrindo. Tati sorriu de volta para a amiga e Mi fez um sinal com a cabeça, apontando Bruna. A garota estava parada, perplexa, com cara de poucos amigos, e uma careta tão feia que ela parecia estar sentindo um cheiro bem ruim. Ao ver Tati olhando para ela, saiu correndo, derrotada.

—Tati... — disse Rafa.

Todos os alunos que estavam olhando a cena foram se dispersando aos poucos, dando privacidade aos dois.

— Me desculpa, eu... — Tati falou rápido.

— Eu nem acredito que isso aconteceu.

— Eu sei. — Tati estava nervosa agora. — Me desc..

— Você não sabe como eu queria ter feito isso antes!

Tati arregalou os olhos.

— *Como assim?*

— Eu gosto de você desde que eu entrei na escola.

O coração de Tati parou. Ele *o quê?*

— Mas eu nunca conseguia falar com você, tinha muita vergonha. — Ao ouvir aquilo, Tati sorriu sem acreditar. Isso estava acontecendo de verdade ou era mais um sonho? — Então, como eu não sabia o que fazer, eu comecei a colocar os desenhos na sua mochila, mas como você nunca falava nada, achei que não tinha a mínima chance. Ontem, quando a Bruna falou que você gostava de mim, fiquei muito feliz e esperançoso, mas não sabia se era verdade. — Rafa falava tudo fazendo carinho no rosto de Tati, respirando fundo algumas vezes, porque estava muito nervoso. — Você me confunde, Tati! Você nunca olha pra mim, não fala comigo e nunca responde nenhum dos meus desenhos. Aí eu fico sabendo que você gosta de mim, eu quase não acredito, porque você nunca demostrou se importar comigo, mas, mesmo assim. tento falar com você pra ver se é verdade e você me ignora... depois me dá um beijo! Você me confunde!

Tati ficou boquiaberta, incapaz de acreditar no que ouvia. Ela... o confundia?

— Então, eu preciso saber, eu queria perguntar isso pra você hoje quando você esbarrou em mim... Eu preciso saber se você gosta de mim ou se era tudo invenção da Bruna. Eu não aguento mais me sentir assim... não aguento mais não saber se eu tenho alguma chance com você, e, apesar de você ter me beijado, não sei se você só fez isso pra se vingar dela por ter inventando essa história toda ou se você me deu um beijo porque gosta de mim e não era nenhuma invenção o que ela me contou. Eu preciso saber a verdade porque... Tati... eu estou apaixonado por você!

A cabeça de Tati girava. Ele estava apaixonado por ela? *Ele?* O menino dos seus sonhos, que nunca olhava pra ela? Que nunca falava com ela? Não entendia. E que desenhos seriam esses que ele havia mencionado? Tati nunca tinha visto nenhum. Estava difícil digerir tudo. Rafa não conseguia falar com ela porque tinha vergonha? Então os meninos tinham medo dessas coisas também? Isso nunca passara por sua cabeça. E como assim, ele achava que ela não se importava com ele? É claro que se importava, e muito! Ele que não se importava com ela. Pensou que só não demonstrava o que sentia porque tinha medo. Será que ele fazia o mesmo?

— Tati... — chamou Rafa.

— Ah, foi mal, eu... — Nunca tinha visto os olhos castanhos de Rafa tão de perto, o que fazia seu coração quase saltar do peito. — Eu não vi nenhum desenho seu.

— Não? — perguntou ele, surpreso. — Eu deixei três folhas sulfites dobradas na sua mochila. Uma no dia do trabalho de artes, outra no dia que a gente teve todas as aulas juntos por causa da chuva e uma ontem, quando você e a Bruna viram o Leo e eu saindo da sala de vocês.

Tati ficou boquiaberta. Folhas sulfites dobradas em sua mochila? Sabia exatamente do que ele falava. As três folhas estavam em cima da mesa de cabeceira em seu quarto. Não tinha sequer visto o que tinha nessas folhas, pensando ser um dos seus rascunhos horríveis. Estivera totalmente enganada. Não eram seus desenhos horrorosos, mas desenhos lindos de Rafa.

— Eu... achei que eram os meus desenhos horríveis e não abri nenhuma folha. Desculpe. —Tati se sentiu uma anta por não ter olhado as folhas antes. — Não acredito nisso. Se eu tivesse visto, teria me poupado de toda essa vergonha!

— Não, não foi vergonha. Ontem, quando a Bruna me contou que você gostava de mim, eu fiquei tão feliz que nem dormi de tanta ansiedade pra saber se era verdade.

Tati se surpreendeu. Rafa não tinha dormido de tanta ansiedade para saber se ela gostava dele! Ela também não dormira, mas de tanto nervosismo e raiva. Sorriu ao pensar que pelo menos ele ficou feliz pela fofoca, já que ela havia se sentido péssima.

— Mas... até agora eu não sei se é verdade ou não. — Ele estava tenso. —Tati, me diga... você gosta de mim?

Tati ficou imóvel. Sentiu as mil sensações juntas outra vez. Não acreditava que tudo isso estava acontecendo. Não conseguia acreditar que Rafa falava tudo aquilo para ela. Nunca imaginou que ele pudesse gostar dela, estar apaixonado, fazer desenhos e colocar em sua mochila. Sorriu. Rafa tinha seus lindos olhos castanhos olhando fixamente para ela, esperando sua resposta. A pergunta parecia até boba. Se gostava dele? É claro que gostava! Gostava muito!

— Eu gosto... Muito! Muito mesmo!

Rafa sorriu aliviado, com uma expressão que deixava claro que o rapaz também não estava acreditando que tudo isso estava acontecendo. Fechou os lindos olhos castanhos e a beijou. Tati estava quase colada nele de tão perto que estavam um do outro, e podia sentir o coração dele acelerado.

Capítulo 19

As folhas na cabeceira

Tati voltou para casa aquele dia sorrindo o tempo todo. Estava boba com tudo o que tinha acontecido; quase não acreditava em todos os momentos de seu dia. Ainda podia sentir o gosto do beijo de Rafa e o carinho que ele fizera em seu rosto. Lembrava-se com detalhes de cada coisa que havia sentido ao beijá-lo. Estava radiante e explodindo de tanta felicidade. Mal podia acreditar em tudo o que acontecera.

Primeiro, ouviu Bruna e suas amigas rindo dela no banheiro, não aguentou ouvir todas as coisas que ela havia falado para Rafa e enfrentou-a de um jeito que nunca havia enfrentado ninguém. Até agora não sabia como tinha tido coragem de fazer isso. Não tinha ideia de como havia falado todas aquelas coisas para Bruna. Sentiria pena, se ela não a tivesse enganado. A menina não havia voltado para a aula depois do intervalo e, apesar de Mi e Dani rirem muito dela e falarem que havia agido certo e que a menina merecia ouvir tudo aquilo, prometeu a si mesma que nunca mais falaria tantas verdades cruas para alguém. Mesmo achando Bruna uma péssima pessoa, não gostava de ferir o sentimento dos outros. Não achava certo. Apesar de ter prometido isso, estava feliz com sua reação, pois por causa da explosão que tivera, não se sentia mal pelas coisas que ouviu dela e de suas amigas. Sentia-se renovada e bem consigo mesma.

O segundo acontecimento marcante do dia foi o beijo. Tati também não fazia ideia de como conseguira fazer aquilo, estava muito orgulhosa de si mesma. Por iniciativa própria, dera um beijo em Rafa. E que beijo! Estava tão gostoso que não queria mais parar de beijá-lo. Tinha gostado tanto e ficado tão feliz com o que fez, que agora pensava que devia ter beijado Rafa antes.

E o terceiro momento do dia, o mais lindo e surpreendente, foi a declaração de Rafa. Nunca havia imaginado que ele poderia gostar dela. Nunca o tinha visto olhando pra ela! Rafa fora atencioso com ela no dia da reunião do trabalho de artes, mas era uma pessoa muito gentil; Tati não havia pensado que ele fizera isso porque gostava dela. Sentia-se nas nuvens, estava apaixonada por ele, e ele por ela. Era muito bom ser correspondida — sentimento que também nunca havia experimentado. Teve a impressão de que experimentaria muitas coisas novas agora, pois Rafa a convidara para ir ao cinema no dia seguinte. Teria seu primeiro encontro com um garoto e estava muito nervosa e empolgada com isso. Mi e Dani quase gritaram de alegria quando contou para elas da declaração e do convite. Mi disse que estava tão feliz pela amiga que não conseguiria dormir de tanto que iria pensar em tudo o que havia acontecido com ela. Tati sentia o mesmo que a melhor amiga, também não conseguiria dormir, mas dessa vez por um ótimo motivo.

Sorriu ao lembrar que quando chegara à escola de manhã, havia desejado que a aula acabasse rápido para ir para casa logo e que ficaria o fim de semana todo trancada no quarto. Tudo aconteceria muito diferente; no dia seguinte teria seu primeiro encontro com Rafa e domingo passaria o dia com as amigas, já que elas não conseguiriam esperar até segunda-feira para saber os detalhes do encontro. Estava muito animada; seria um fim de semana incrível e estava muito ansiosa para sair com Rafa. Torcia para tudo dar certo e ser um encontro perfeito.

Chegou em casa e subiu as escadas da sala correndo, pois precisava muito ver algo. Algo que havia ignorado, mas, sabendo agora do que se tratava, não aguentava de ansiedade para ver. Lembrou-se de como tinha tratado os pais na noite anterior; pretendia se desculpar e explicar que estava muito nervosa por causa de algo que havia acontecido na escola, mas que já tinha resolvido. Eles entenderiam, e ela se esforçaria mais ainda para fazê-los se sentirem muito felizes, afinal, os dois faziam exatamente o mesmo por ela.

Entrou no quarto, empolgada. Lá estavam as folhas sulfite dobradas, em cima de sua mesa de cabeceira. Lembrou-se de todas as vezes em que as viu e jogou para o lado, achando que eram mais de seus rascunhos horríveis. Nunca havia passado por sua cabeça que seriam desenhos de Rafa. Pensou no que ele lhe contara, que não sabia como conversar com ela e que resolvera colocar os desenhos em sua mochila para ver se ela se interessava. Achou tão fofo! Imaginou que ele deveria estar sentindo tanto medo quanto ela. Pensou que, se tivesse conversado mais com ele, os dois não teriam sofrido tanto. Pensou de novo. A história deles não seria tão linda e surpreendente se tivesse sido assim, e concluiu que as coisas não poderiam ter acontecido de um jeito mais perfeito, mesmo quando havia sofrido e tido dúvidas. Tudo fazia parte da história deles, uma história que estava apenas começando.

Tati abriu a primeira folha ansiosa: era um desenho lindo de seu rosto, e ao lado estava escrito: "Você me inspira". Sentiu-se derreter. Ela o inspirava! Como queria estar com ele agora e lhe dar outro beijo! No dia seguinte mostraria seu desenho para ele também, apesar de não estar tão bonito quanto o dele, mas imaginou que Rafa ficaria feliz ao saber que ele também a inspirava. Pensou em tudo o que ele havia lhe falado novamente e agora entendia por que ele nunca olhava pra ela; na verdade, ele a olhava o tempo todo, mas os olhares não se cruzavam, pois como Tati, Rafa a esperava estar concentrada demais para perceber. Lembrou-se do dia em que ela o olhava e ele, de repente, olhou-a também. Comentaria com ele sobre isso no encontro do dia seguinte, pois queria saber se ele havia sentido seu olhar como imaginou ou se tinha planejado olhá-la naquele momento e se surpreendeu ao ver que ela o observava também. Torceu para que a segunda hipótese estivesse certa.

Colocou a folha cuidadosamente em cima de sua cama e abriu o segundo desenho. Derreteu pela segunda vez, não conseguia parar de sorrir. O desenho era dela desenhando nas aulas de artes e estava escrito: "Você é a menina dos meus sonhos". Sentiu seu coração acelerar e uma dor tomar suas bochechas, de tanto que sorria. Estava muito feliz, pois ele também era o menino dos seus sonhos. Praticamente todas as noites sonhava com ele e com o momento do beijo dos dois. Sentiu ainda mais vontade de estar com Rafa naquele momento, queria pular em seu pescoço e lhe dar vários beijos. Ficou emocionada ao saber que ela era a menina de seus sonhos, assim como ele era o menino dos seus.

Colocou a folha sob a cama junto com a outra e abriu a terceira e última. Surpreendeu-se e teve as mil sensações juntas de novo. Como estava feliz! Os três desenhos eram lindos, românticos e condiziam com tudo o que ela sentia por ele, mas o último era especial e o seu preferido. Na folha, estavam desenhados seus olhos verdes e abaixo estava escrito: "Olhe pra mim".

Tati riu, pensando que a vida era muito melhor do que qualquer sonho seu.

Agradecimentos

Gostaria de agradecer primeiramente aos meus editores, Bruno e Tomaz, pela confiança que depositaram em mim para que este projeto fosse realizado. Escrever este livro foi um prazer e uma grande honra.

Agradeço também à minha irmã mais velha e escritora, Carol Chiovatto, por sempre me encantar com os mundos mágicos que criava em seus livros e por me influenciar a criar os meus próprios. Obrigada por me ensinar a amar ler e escrever.

Deixo também o meu agradecimento para as minhas lindas irmãs mais novas, Andreia, Cristina e Giovana, por sempre me apoiarem a escrever e por se aventurarem em minhas histórias comigo e com minhas personagens.

Obrigada também a minha mãe por me dar a vida e por me ensinar o que é ter caráter e força.

O meu muito obrigada vai também para minha amiga-irmã Natasha, por ser a melhor amiga que eu poderia ter e por estar ao meu lado em todos os momentos da minha vida. Muito obrigada também pelo nosso tempo no colégio, risadas, memórias e histórias que vivenciamos juntas.

Agradeço à minha amiga Giselle por fazer parte das minhas aventuras no colégio e por vivenciarmos juntas hilários e loucos momentos que estão guardados comigo com muita saudade e amor.

Um agradecimento especial para Luiz, meu namorado, companheiro e amor da minha vida, pelo apoio incondicional aos meus sonhos, por me fazer acreditar que tudo é possível e por deixar minha vida feliz e colorida, mesmo quando tudo parece preto e branco.

Impressão e acabamento

𝒜psi7 | Book7